여행성 인간

홋카이도 유람, 1권

인천
신치토세공항
오비히로
아칸
아바시리

김은율

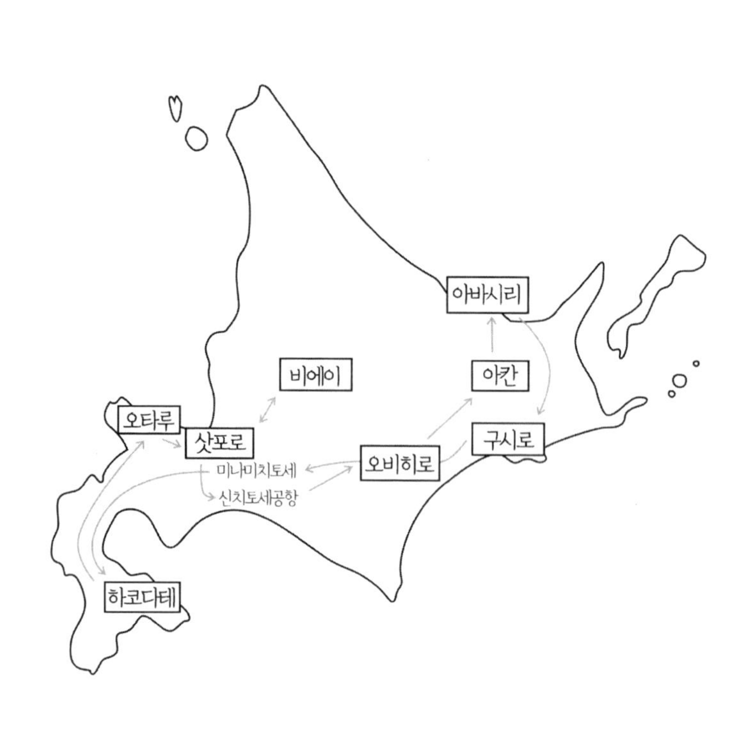

아바시리
비에이
아칸
오타루
삿포로
구시로
오비히로
미나미치토세
신치토세공항
하코다테

목차

1화: 심지어 아직 떠나지도 않았어

서울 -> 인천

백 팩이 십몇 년 만이라 팔을 어찌해야 할지 모르는 사람.jpg

여행을 시작하는 첫날은 모두 비슷할 텐데 굳이 할 이야기가 있느냐 싶겠지만 내 경우에는 내가 살면서 죄를 그렇게 많이 지었던가 싶을 정도로 많은 해프닝이 출발하는 날 일어난다. 가볍게 이야기해 보자면,

100에 90의 확률로 세관에 걸려 모든 짐을 풀게 되는 것부터

이민국 면회실에서 내 친구 돌려주세요. 엉엉하며 울게 되거나,

공항 법무부에 끌려가 반성문을 쓰고 머그샷을 찍거나,

도주 방지를 위해 경호 요원님과 동반 및 감시하에 출국하거나,

여권을 흘리고 눈치채지 못해 출국 직전에 끝내 주는 질주극을 벌이거나 하는 일들이다. 그래서 6년간 가고 싶어서 벼르고 벼렸던 홋카이도, 이번 여행에는 그런 일들이 없도록 하려 했으나 역시나 였던 험난한 출국은, 여행 전에 작업 마감을 하느라 정신없는 시간을 보내고 있던 이륙 10시간 전인 아직 이른 새벽, 대충 짐을 가방에 던져 놓으며 어, 나 환전 안 했네 라고 중얼거리는 장면부터 시작했다.

설상가상 내 1일 출금 한도는 30만 원. 가지고 있는 신용 카드는 외국에서도 사용 가능한지 아직 확인 전이며, 호텔비는 모두 현지 결제로 해 두어 첫날부터 큰돈이 필요한

어떻게 환전을 잊어 먹을 수 있냐고요?

(여행 계획은 완벽하게 짜놓고 여행 할 돈은 까먹은 사례)

상황이었다. 출국 직전에야 깨달은 이 큰 실수에, 긴 여행 전 일을 미리 해 두느라 무 수면으로 26시간쯤 깨어 있어 오한마저 느끼고 있던 몸에서 핏기가 더 빠져나가며 순식간에 손발이 꽁꽁 어는 것이 느껴졌다.

해결 방법을 생각해야 하는데 극심한 수면 부족으로 머리

속이 뭉툭하고 온통 뿌연지라 생각을 이어 나가기가 쉽지 않아 한참을 멍하니 있다가 불현듯 같은 동네에 사는 J가 떠올랐다.

늦은 시간이지만 혹시 도와줄 수 있냐고 카톡을 보냈더니 다행히도 아직 깨어 있었던 J가 부스스한 머리 뒤로 가로등 불빛을 마치 후광처럼 두르고 내 이름을 외치며 새벽 연남동 한복판을 가로질러 달려왔고, 우리는 서둘러 동네 편의점의 ATM기를 털기 시작했다.

큰 현금을 뽑아야 한다는 긴장감에, 헛된 생각은 하도 않고 있는 취객들을 오히려 경계하며 긴장한 어깻죽지를 딱 붙이고 바들거리며 현명한 J 가 한층 더 완벽하고 안전한 현금 인출을 위해 가져온 큰 가방으로 행인들로부터 우리를 가린 채 돈이 나오는 즉시 꺼내 쇽쇽 품 안으로 숨겼다. (지금 생각해 보면 취객들 입장에서는 우리가 더 무서웠을지도 모르겠다. 우리의 눈은 계속 희번덕거렸고 움직임 또한 위에 서술한 것같이 매우 수상했으니까.)

한바탕 이송 작업이 끝나고 현금 백만 원을 무사히 품에 안은 나를 한번 안아주고 멀어져가는 J의 뒷모습은 마치 청춘영화의 한 장면과도 같았다. 더군다나 돌아오는 길에 환한 달빛 아래에서 마주친 길고양이 선생님께 마침 가지고 있던 닭가슴살을 드리고 취객들의 흥얼거림을 배경음악처럼 들으며 걸어가게 되자, 아직 출국 전인데도 여행 감성이 꽉 차올라 나도 모르게 청춘이지 청춘이야! 나는 청춘이야! 하고 아직도 불빛과 사람들이 가득한 길거리 한복판에서 크게 혼잣말을 해버렸다. 감성이란 건 정말 너무 무서워…

아무튼 부끄러움을 느끼는 시간조차 사치였기에 거리에 가득한 취한 사람과 동족인 척 태연하게 어깨춤을

고양이 : (오늘도 인간들은 이상해)

추며 서둘러 집으로 돌아와 짐 정리와 집 청소를 했다. 모든 것을 마무리하고 외투를 입고 깔끔하게 정돈 된 현관에 캐리어를 내려놓으니 이제 이 문만 나서면 드디어 홋카이도로의 여행이 시작된다는 실감이 나기 시작했다. 그릉그릉 고양되는 기분을 느끼며 자, 이제 출발해 볼까! 하고 호기롭게 캐리어 손잡이를 휘어잡은 나는 깨달았다. 아 핸드폰 없어졌네.

시간은 벌써 새벽 5시, 타야 할 리무진 버스의 마지노선은 새벽 6시. 가볍게 패닉이 와서 10분 정도 계속 괜,찮,아, 진,정,해, 괜,찮,아, 하며 한국인들에 익숙한 리듬으로 스스로에게 격려 박수를 쳐주다가, 정신을 차리고 청소한 곳을 모두 뒤집으며 핸드폰을 찾았지만 어디에서도 나오질 않았다. 할 수 없이 가족에게 연락해 전화를 부탁했지만 집안 어느 곳에서도 진동 소리는 들리지 않았고 결국 나는 이 이상 차가울 수 없는 두 손을 마주 잡고 주저앉아 생각했다.

그래 오늘은 안되는 건 가봐 우주의 모든 기운이 나를 막는 것 같잖아. 내일 환율이 폭락할 테니 하루만 더 미루라는 계시인 것은 아닐까? 그렇게 비행기를 미룰까 한참 심각하게 고민하다 혹시나 해서 쓰레기장으로 나가보았다.

차가운 3월 초봄 새벽의 공기를 느끼며 새들이 지저귀고 멀리서 고양이가 야옹 하는 어스름한 쓰레기장에서 두 손을 모으고 귀를 기울이고 있으니 지브리 만화영화의 한 장면 같고 존재하지 않는 환상 속의 존재를 찾고 있는 것 같았다. 왠지 로맨틱하네 하고 생각한 것도 잠시, 아까 버린 쓰레기봉투 속에서 진동이 들려왔고 나는 거친 짐승이 되어 쓰레기봉투를 찢고 핸드폰 구출을 해내었다. 새벽과 함께 야성이 깨어난 듯한 움직임으로.

(아~ 그랬냐~ 발발이 치와와)

핸드폰을 찾자마자 집에 들어가 캐리어를 낚아채어 그대로 홍대입구역을 향해 달렸다. 수면의 부족과 이성의 부족은 평소보다 내 꼬락서니에 대한 조심성의 레벨을 낮추었기에 사자 같은 머리를 하고도 쓸어 묶을 생각도 못 하고 공항버스에 올라 안심하고 의자에 바로 푹 파묻힐 때까지 용맹하게 그저 내달렸다.

나는 자세에 대한 집착과 허세가 있어서 공공장소에서 늘어지게 앉는 일을 좀처럼 하지 않는데 이번 여행의 시작인 그때는 의자에 몸이 닿자마자 목덜미부터 녹아내려 도저히 바른 자세를 유지할 수 없어 늘어지고 말았고 한번 그렇게 풀어지자, 여행 내내 긴장이 풀린 상태로 느긋하게 지낼 수 있었다. 그렇게 생각하면 이 해프닝들은 정말 고마운 액땜이 아닌가.

(그런데 오래 늘어져 있으면 이번엔 꼬리뼈가 아파)

2화: 입국 심사만으로 한 화를 뽑아내는 사람

인천 -> 신치토세 공항

출국장에서 나올 때 순간 쏟아지는 시선에
머쓱해지는 건 나 뿐일까?

공공장소에서 편한 자세로 앉지 않는 것 외에 또 나는 잠도 자지 않는다. 왜냐하면 코를 고니까. 100번이면 100번, 어김이 없다. 조곤조곤 어여쁘게 코오 코오 고는 것이 아니라 주변의 사람들이 모두 괴로워할 만큼 우렁차게 크앙 크앙 하고 곤다. 그렇기 때문에 너무 피곤해서 누군가가 인사를 건네면 안녕하세요! 라고, 해야 할 것을 살려주세요 라고 할 것 같은 이런 상황에서도 다른 승객들의 편안한

은율 : (매우 반가워 하며) 어머 안녕하세요!

시간을 위해 나는 잠이 들지 않으려 최선을 다해야 했다. 그러니 버스 안에서 보이는 나는 비 내리는 창가에 무심히 기대어 음악을 들으며 조용히 여행을 고대하는, 감성적인 뒤통수지만 버스 밖에서 보이는 나는 반쯤 감긴 초점 없는 눈에 가끔 흰자위를 보이며 침을 흘리는, 아침부터 못 볼 꼴인 얼굴이었으리라.

그렇게 가끔 기억이 끊겨가며 빈사 상태에서 드디어 공항에 도착했으니 무사히 환전을 하고 짐을 부치고 출국장으로 들어갔는데 새로 받은 여권의 인식이 안되어 자동 출입국 신고가 되지 않아 다시 출국장을 한 바퀴 돌고 나가면서 시선 집중을 받는 가벼운 해프닝 정도만 겪고 무사히 비행기를 타고 무사히 입국 심사를 마치고 무사히 숙소로 가는 버스를 탔다면 참 좋았을 거다. 이런 이야기를 길게 한 것은 글 분량을 늘리기 위함이 더 크지만 무사하지 않았기 때문인 것도 있다.

몇 년을 고대하던 여행, 몇 번을 예약하고 취소하고 그때마다 속상해서 울기도 했지. 공항에 도착해서 입국 심사장을 들어가면 점점 여행의 시작에 대한 감격으로 벅차올라 어쩌면 눈물도 조금 날지도 몰라. 여행 전에 계획을 짜며 그런 생각을 했었다.

그러나 실제 도착한 날 나는 매우 담백하고 신속하게

비행기에서 내려 입국 심사장을 향했다. 죽을 만큼 피곤했고 온몸에서 땀 냄새가 났다. 착착 이동을 해야지, 한곳에 오래 있으면 나도 주위도 피곤해질 유해 인간이었던 것이다.

(죽겠어요)

홋카이도는 입국 심사가 까다롭다 들었기에 입국카드, 호텔 바우처, 각종 교통편 예약 표 등 모두 심사관님께 넘겨주고 공손하게 두 손을 모으고 심사대에 섰다. 나의 무해함을 최선을 다해 보여주고 싶어 파들파들, 입꼬리가 잠자리 날개처럼 떨릴 때까지 한껏 끌어 올린 혼신의 미소까지 지었지만, 어디에서 머무는가 라는 질문으로 같은 학교 출신이라는 걸 알게 되자 그 동네에서 잘 나가는 클럽과 힙한 식당에 대해 수다를 떨었던 영국 입국 심사 사건 이후로 최장으로 길었던 입국심사가 시작되었다.

(사실은 아싸라 잘 모름)

입국 심사관 : 직업이 뭐죠? 여행 목적은?

유해인간 : 회사원이고 관광입니다.

입국 심사관 : 회사원이 휴가 철도, 관광 적절 시기도 아닌 지금 3주 가까이 관광을?

유해인간 : 정확히 말하면 프리랜서 같은 회사원입니다.

입국 심사관 : 돈은 얼마나 가지고 있습니까?

유해인간 : (눈을 가늘게 뜨며 기억하려고 애쓴다. 허나 피곤하여 머리가 돌아가지 않아 환전된 금액이 정확히 기억나지 않는다. 계속 생각해내려 하다, 너무 오랫동안 말없이 검사관을 응시한 것을 깨닫고 황급히 입을 연다)

어.! 어.. 어음... 8-9만엔? 정도…요..? 아마도.

입국 심사관 : (호텔 바우처를 훑어보고 설상가상 호텔

비가 현지 지불인 걸 확인)
거의3주나 머무는데요? 혹시 일할 생각입니까?

유해인간 : 아니요! 저 일본어 못해요!

입국 심사관 : 지금 일본어로 이야기하고 있잖아요

유해인간 : (유난히 서글픈 목소리로)
글은 못 읽어요...

입국 심사관 : 어떻게 일본어를 배운 겁니까?

유해인간 : (공부할 때 보던 방송들을 떠올리다가 너무 다양한 작품들이 머리 속에서 꼬여 갑자기 일본 여러 지역의 사투리와 사극이 섞인 요상한 억양으로 바뀌며) 따로 배운 건 아닙니다. 그냥 드라마 라든지.. 예능 방송 같은 거 보다 보니께 그리 되버렸슈. 글은 몬 읽는당께요. 그런 경우 꽤 많이 있다고 생각 하네만. 어떻소 검사관 양반. 그렇지 않?

입국 심사관 : (뭐지 하는 눈으로 바라보며 잠시 침묵 하다가 정신을 가다듬고)
무슨..프리랜서입니까?

유해인간 : 일러스트레이션이랑 애니멩션(그와중에 혀 씹음)입니다

입국 심사관 : 어디에서 어디까지 갑니까?

유해인간 : (피곤과 긴장으로 뇌에 한계가 와, 여행 경로가 떠오르지 않음)
어.. 일단 오늘은 오비히로에 가고..그 후에 다음 도시인 오비히로까지 갔다가 돌아서 내려와서 한바퀴 삥 돌고요..

입국 심사관 : (????)

유해인간 : (????)

(이젠 뭐가 뭔지 모르겠고 울고 싶다)
제가 지금 잠을 못 자서 머리가 안 돌아가는데 저는 절대 수상한 사람 아니

에요··· 그냥 혼자 여행하는 선량한..그러니까 저는 그냥 저 위까지 빙 돌 건데요..일단 삐잉 돌아요 홋카이도를..오비히로에서..

(정신 차려! 너의 선량함이 전혀 전해지지 않고 있어!)

나는 결국 오늘의 목적지인 오비히로만 몇 번을 외치다 울상이 되어버렸고 무표정을 유지하던 심사관님은 결국 파합 하고 소리를 내며 웃었다. 그리곤 잠시 훈훈한 분위기로 서류를 다시 살펴보고는 빵-긋 웃으며 어디를 가던지 즐거운 여행 이 되겠네요 그렇죠? 하고는 통과 도장을 찍어주었다.

내 안의 순수함을 알아보신 게 분명하여 그런 청춘영화에 나올 것 같은 대사를 날려 주신 것이리라... 묘하게 찡해진 가슴을 잡고 입국 심사장을 나와 무사히 짐을 찾은 나는 그대로 세관에서 잡혔다.

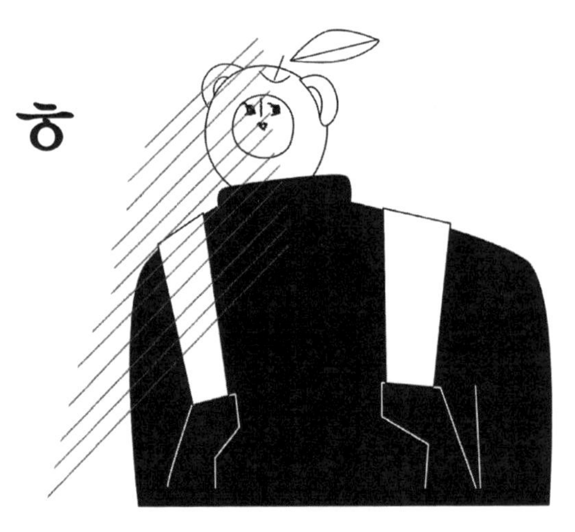

(정말 무사통과라는 반전이라 곤 하나도 없네)

아- 정말 사람들은 어찌 저리 자유롭고 빠르게 출국장을 빠져나갈 수 있는 걸까. 수많은 사람들이 각자의 여행지로 신속하게 설레는 얼굴로 빠져나가는 중 나만 쏙 잡아서 이리 오세요 하더니 마약류나 금붙이, 혹은 음란물을 가지고 있는 지 묻는다. 그런 건 없다고 하자 자세한 목록이 인쇄된 프린트를 보여주며 (정말 다양한 종류의 약과 음란물이 있었다..) 정말 대마초나 이러이러한 마약류를 가지고 있는 건 아니냐 재차 묻는 검사관님의 얼굴을 보며, 나는 지인에게서 받은 무해한 너드 라는 잔잔하고 만족스러운 별명을 가진 참 만만하게 생긴 사람인데 어째서인지 세계 어디를 가던 혼자 철저하게 검사를 당하는 것일까 생각했다.

다시금 파들파들 잠자리 같은 미소를 지으며 그런 해로운 것은 없다고 답했지만 여기서도 어김없이 가방을 열게 되었고 가방을 열자, 검사대에서는 잠시 정적이 흘렀다. 든 게 너무 없었기 때문에.

짐을 많이 가지고 여행 다니는 편이 아니다 보니 25인치 캐리어의 1/4도 채우지 않았고 텅 빈 가방 안에서 짐이 굴러다녔다. 매고 있던 배낭도 열어 보였지만 내가 가진 짐이라고는 옷 두세 벌과 노트북, 태블릿 등의 작업 도구, 필기도구, 약간의 생필품, 그리고 당장이라도 사그라질 듯 파리한 영혼이 전부였다. 당황한 검사관님이 말을 꺼냈다.

(괜찮아요? 많이 놀랐죠.)

짐 검사관 :	여행, 며칠이나 하시죠?
텅빈 인간 :	어, 그러니까 2주 반 정도 합니다.
짐 검사관 :	(잠시 말을 잃었다 숨을 길게 들이마시며) 현금은 얼마 가져오셨죠?
텅빈 인간 :	8 (이라 하다가 눈치를 보며) …9만 엔…?

짐 검사관 : (흔들리는 눈빛, 조용히 가방 안감 부분을 만지며 철저히 검사한다)
어.. 어디 어디 가세요? 숙소는?

텅빈 인간 : (같이 흔들리는 눈빛, 다시 흐려지는 정신)
어.. 호텔에 묵을 거고 도시는 그 오비히로랑 그리고 제가.. 제가 빙 돌아서 …
제가 또 어디를 갈까요??

짐 검사관 : (생각도 못한 반문에 당황)
????

텅빈 인간 : (본인이 한 반문에 당황, 그러나 어찌해야 할지 몰라 계속해서 당황)
????

당황한 둘 사이의 어색한 공기 속에 눈동자는 계속해서 흔들리고 우리는 마치 10년 만에 잘 모르는 친척 결혼식에서 만난 잘 기억 안나는 사촌들처럼 하하 핫 헛 하하 하며 헛기침 같은 웃음만 뱉고 있었다.

그 상황을 보다 못한 다른 검사관님이 오셔서 괜찮아요

(어디로 가야 하죠 검사관님..이런 입국자는 처음인가요..)

괜찮아 미안해요 하면서 가방을 다시 싸 주셨는데 짐이 얼마 되지 않으니 몇 초도 걸리지 않아서 조금 웃겼다. 두 검사관님의 눈은 너는 정말 수상한데 뭔가 불쌍해서 수상하다 생각하기가 미안하다 라는 말을 하고 있는 듯했다.

생각해 보면 나는

여행 기간은 긴데 일반적인 여행객에 비해 돈이 적고
(그냥 돈이 없었다.)

그럼에도 여행 내내 호텔에 묵으며

(그냥 1년 전부터 필사적으로 특가 예약을 찾았다.)

호텔비는 아직 내지도 않았고
(그냥 예약 당시 선불할 돈이 없었다)

여행 기간에 비해 짐이 너무 없으며 자신이 어디로 가는지도 모르고 파리한 얼굴로 연신 땀을 흘리고 있었다.

굉장히 수상한 사람이 아닐 수 없다.

그렇다면 차라리 마치 어딘가의 비밀 조직의 임무를 수행하는 그런 멋들어진 사람으로 보였었다면 좋을 텐데. 불법으로 취직을 하려는 사람 혹은 마약 운반책처럼 보였을 가능성이 더 크지만 그래도 희망 사항이란 게 있지 않는가.

이 일련의 소동을 친구들에게 전하자 한 친구가 다음에는 하와이안 셔츠를 입고 선글라스를 머리에 쓰고 목에 카메라를 걸고 환하게 웃으며 아이 엠 어 관광객! 을 어필하라고 했다. 저번 화에서 말했던 입국 심사하다가 뜬금없이 이민국에 잡혀가 강제 송환될 처지가 되어 나로 하여금 내 친구를 돌려주세요 엉엉하며 면회실 창문에 매달리게 한 녀석이다.

더 수상해 보일 것 같다고 답했더니 자기도 아는지 꺄르르 웃었다.

3화: 여행 중이 아닌 여행자

신치토세 공항 -> 오비히로

소중한 한 순간도 놓치지 않도록 자기 전에 꼭!
뭉친 근육을 풀고, 사진을 백업하고, 기기를 충전하기(별 5개)

나는 여행을 할 때 '생존 지도'라는 것을 만든다. 그것이 무엇인고 하면, 인터넷 지도를 사용하여 이동 경로를 미리

걸어보며 사진과 글로 지시 사항을 적 어 두는 것으로, 딱히 내가 길을 잘 못 찾아서 그런 것은 아니고 와이파이가 터지지 않는 곳이나 지도를 봐도 복잡한 지역을 이동할 때 유용하게 쓰기 위해 만드는 내 여행 비법 중 하나이다.

하지만 이번 홋카이도 여행에서는 미처 그것을 준비하지 못했다. 즉 신 치토세 공항은 초면과도 다름없는 상태, 우리는 매우 데면데면한 사이인 것이다. 그러니 당연히 국내선으로 이동하여 버스 정류장을 찾는 길은 내게 너무 험난 할 수밖에 없었다. 공항 밖으로 나가는 출구도 나타나지 않아 얼마나 1층을 맴맴 맴돌았던지. 그곳은 마의 삼각 지대 같은 것이 아니었을까? 아니면 무형의 존재가 출구가 보이지 않도록 저주를 걸었던 것은 아닐까?

신 치토세 공항에서 국제선 -> 국내선 -> 국내선 버스정류장 루트를 가 보신 분들은 이쯤 해서 나에게, 아니 아무리 그래도 허풍이 너무 심하시군요, 그 길은 일직선이 아닙니까? 하실 수 있겠지만 일직선이라고 길을 잃지 않을 수 있다는 것은 고정관념! 세상엔 불가사의한 일이 얼마든지 있답니다.

예를 들면,

월급날에는 분명히 빵빵했던 통장 잔액이 불과 며칠 만에 사라진다거나

(역시 내려가면 안되는 것이어서 올라 오며 머쓱했다)

월초에 산 10켤레의 덧신이 월말쯤 되면 꼭 한 짝씩만 남는다든가

한 장만 구울 생각으로 만든 부침개 반죽이 30장 분량으로 완성된다거나

엄마가 끓여 두시는 곰국은 아무리 먹어도 사라지지 않는다거나

닭가슴살은 이제 질려서 못 먹겠는데 치킨은 맛있다거나

저녁을 잔뜩 먹어 배가 꽉 차도 아이스크림은 얼마든지 들어간다거나

분명 나는 다이어트 중 일 텐데 체중은 증가하기만 하는 그런 일 말이죠.

그러므로 표지판에 버스라고 쓰여 있진 않지만 버스 정류장이 1층이니까 일단 내려가 본다던 지, 버스회사 카운터는 왠지 오른쪽에 있을 것 같은 기분이니까 오른쪽으로 무작정 걸어본다던 지, 그랬더니 막다른 길이었다던 지... 등등 길을 잃는 이유는 너무나도 무궁무진하다. 하지만! 인생이라는 거대한 길도 그렇게 헤매지만 살아 있으니까, 이런 작은 길 정도는 잠깐 헤매도 괜찮지 않을까?!

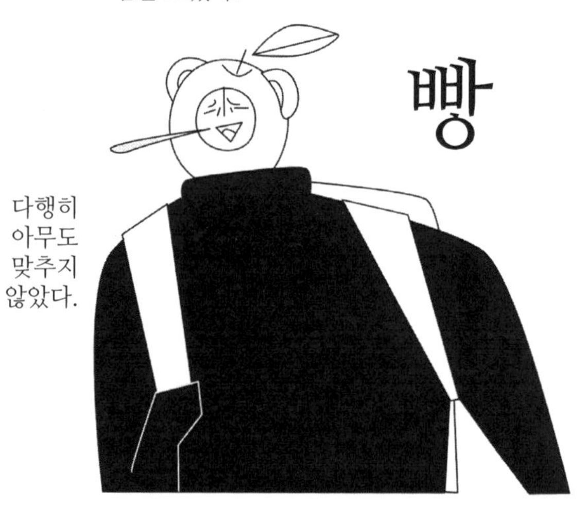

(위험한 사람)

우야든동 어디로 향하는지는 모르겠지만 최선을 다해 걷다 보니 어느새 국내선 공항버스 터미널에 도착하여 출구로 나가져 있었다. 그러나 고생 끝에 마시게 된 홋카이도의 겨울 공기는 헤매면서 흘린 땀을 식히는 용도로만 느껴졌을 뿐, 체력이 너무 없어서였는지 생각했던 것보다 감동이 없었다. 강렬하게 느껴지는 것은 오직, 이제 버스를 타기만 하면 된다고 생각하자 안심이 된 건지 느껴지는 허기와 오랜

공복에서 온 두통뿐.

출구로 나온 김에 이따 탈 버스 탑승장 번호를 확인하고 다시 내부로 돌아와 버스 회사 카운터에서 미리 예약해둔 티켓을 교환했다. 뭔가 먹긴 해야할 것 같아서 근처 편의점에서 초콜릿 한 봉지와 물을 사서 버스 대기실로 향했다. 자리에 앉아 꺼내 보니 아무 생각 없이 집어 온 그 초콜릿은 멘탈 밸런스에 좋은 성분이 들어 있었다. 생존 본능일까?

(6년간 꿈꾸던 여행을 이제 막 시작한 사람)

극심한 피로에 우울해져 입꼬리가 내려갈 때마다 약이라 생각하고 초콜릿을 하나씩 억지로 씹어 삼키며 다음 일정을 떠올려 보았다.

오늘부터 이틀간 나는 오비히로라는 도시에 머물 예정이다. 신 치토세 공항에서 161km 정도 떨어져 있는 오비히로까지 가는 방법은 일반적으로 JR이나 국내선 항공기 그리고 고속버스가 있는데, 이동에 걸리는 시간은 비슷비슷하게 2시간에서 3시간 사이이다. 한국에서 신 치토세 공항에 도착했을 때의 시간 + 오비히로까지의 이동 시간을 따져보면 오비히로 도착 후에 관광을 하고 다른 지역으로 이동할 수 있는 시간이 거의 없기 때문에 신 치토세 공항에서 내려 대기 시간 없이 바로 탈 수 있고 무제한 탑승 가능이라고 해도 이 구간은 JR 당일 표나 레일패스를 쓰기에는 가격 면에서 다소 아까운 부분이 있다(또한 직항이 없어 갈아타야 한다).

그래서 공항에서 출발할 때는 오비히로 시내의 버스터미널까지의 직항 리무진 버스가 여러모로 합리적이라 볼 수 있다. 가격도 편도 기준 JR의 반값! 그러나 크나큰 단점이 있으니, 그것은 바로 시간과 운행 여부! 아무래도 JR보다는 운행 시간 간격이 1시간 반~2시간 남짓으로 길고, 하루에 6편 정도밖에 운행되지 않는 데다 (2022년 12월 1일 개정 스케줄 기준) 눈이 많이 내리는 홋카이도

특성상 겨울에는 버스가 지연되는 일도 있다고 한다. 나는 어차피 내가 입국 심사 통과나 공항 탈출을 쉽게 하지 못할 거란걸 예상했기 때문에, 기다리는 시간이 있어도 괜찮다고 생각해서 흔쾌히 고속버스를 골랐었다. 공항 구경도 하고 맛있는 점심도 먹으면 2~3시간은 금방 갈 테니까.

하지만 예상 못 했던 험난했던 하루에 심하게 지친 탓인지, 한번 의자에 앉으니, 마치 의자 외의 바닥은 바다여서 일어나면 죽어버릴 것 같은 기분이 들었기에 구경도 식사도 관두기로 했다. 음. 포기다 포기. 다행히 마침 피드에 뜨는 게시물마다 너무 재미있어서 대기실에 서 꼼짝 않고 앉아 SNS를 보거나 친구들과 메신저로 수다를 떨다 보니 2 시간이 훌쩍 갔다.

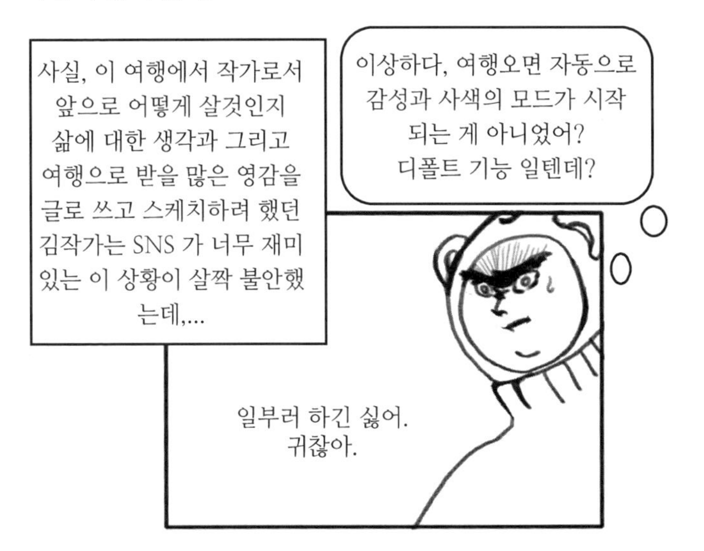

(회피)

2시간 후 버스는 정확히 스케줄대로 도착했고, 버스 기사분께 표를 보여드리고 버스에 올라 미리 지정한 자리로 이동했다. 이제 3시간만 더 참으면 숙소에 도착 인거지! 도착하면 맛있는 거 잔뜩 먹고 뜨거운 물로 샤워하고 죽은 듯 잘 거야! 그나저나 이 버스 배치가 신기하다! 의자가 3줄로 있어! 그리고 쿠션이 엄청 편하다! 그리고 한글로 안내서까지 들어 있네! 무지 멋있다! 와! 나 지금 너무 신나! 버스에 앉으면 바로 기절할 것이라 생각했는데 드디어 공항을 벗어나 도착지가 멀지 (161km지만) 않았다는 생각 때문인지 아드레날린이 마구 솟구쳤다. 우와! 눈이다 눈! 마구마구 쌓여 있는 아무도 안 밟은 곳이 더 넓은 눈밭!

버스가 좀 달리기 시작하자 눈이 별로 없던 공항과 달리 차창 너머로 계속해서 설경이 펼쳐져 단숨에 피로가 달아난 나는 꽤나 신나서 유리창에 딱 붙어 계속 영상을 찍었다.

그런데 한 30분쯤 지났을까, 여전히 창밖을 촬영하고 있던 나는 불현듯 묘한 찝찝함을 느꼈다. 처음만큼은 아니어도 신나고 즐거운 마음은 여전했지만, 어느 순간부터 그저 기계적으로 자료 수집하듯 셔터를 누르고 있는 자신을 발견했기 때문이었다. 이 풍경이 너무 아름다워! 서가 아니라 이 풍경은 편집해서 넣을 때 임팩트가 있겠군 혹은 SNS에 올리기 좋겠다 라는 마음으로 말이다. 이상하다, 꿈에 그리던 홋카이도 설경인데 나는 왜 좀 더 순수하게 감상하고 있지 않는 걸까? 아니 지금 내가 이러는 게 나쁜 건 아니지만, 그래도.

그렇게 찜찜해 져오는 마음을 억누르며 괜찮은 장면이

나오면 핸드폰 카메라를 켰다 껐다 반복하다 보니 어느새 버스터미널로 들어가고 있었다. 집에서 출발했던 것은 새벽 5시, 버스가 터미널에 정차한 시간은 오후 5시. 무려 12시간 만에 도착한 오늘 하루 종일 제일 많이 불렀던 그 오비히로였다.

몸이 너무 피곤해서일까, 공항에 도착했을 때처럼 여전히 도착에 대한 감동은 딱히 느껴지지 않았다. 하지만 지금 그게 중요한 게 아니야! 총 38시간 동안 무수면 상태였기 때문에 언제 기절할지 몰랐기에 서둘러 체크인을 하고 짐을 방에 던져둔 후 다시 터미널로 돌아왔다. 38시간 동안 먹은 건 비행기에서 준 주먹밥 1개와 작은 초콜릿 반 봉지가 전부였고, 또, 내일 아침은 식당들이 여는 시간보다 일찍 일정이 시작되기 때문에 먹을거리를 사 와야 했다.

터미널 옆에는 다른 지역을 여행할 때는 못 보던 세이코 마트라는 처음 보는 편의점이 있었는데 나중에 조사해 보니 홋카이도에만 있는 체인점이었다. 내부는 일반 편의점과 비슷했지만, 마트처럼 식재료도 살 수 있었고, 도시락 메뉴가 좀 더 다양하며 일반 편의점처럼 냉동된 식품을 조리해서 판매하는 방식이 아니라 마치 한국의 마트에도 있는 반찬 코너처럼 매장에서 직접 조리한 도시락도 판매하고 있었다. Hot chef 라고 쓰여 있던 이 코너는 날마다 그리고 지점마다 메뉴가 조금씩 다른 것 같았다. 가격은 전국적으로 있는 로손이나 세븐일레븐 같은 편의점 체인보다 조금 저렴한 느낌이었고 매장 규모는 구멍가게 같은 곳부터 꽤 큰 곳까지 다양해서 여행하면서 여러 가지 세이코 마트를 구경하는 쏠쏠한 재미도 있었다. 다른 지역에선 잘 볼 수 없는 체인점이니까 신기하기도 하고.

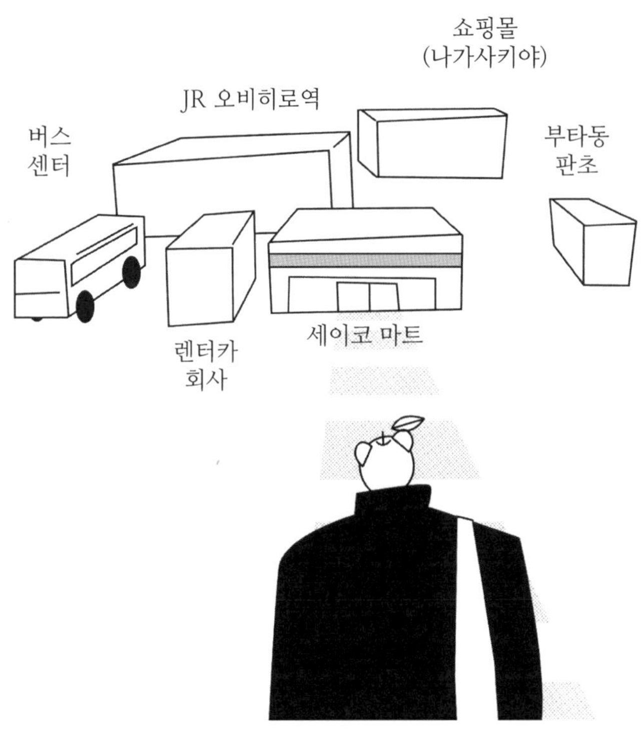

(주요 포인트 장소들의 위치는 서로 매우 가까이에 있다.)

이번에 방문한 오비히로 버스터미널 옆에 있는 세이코마트는 마침 딱 퇴근 시간이라 그런지 직장인들로 가득했다. 점심을 건너뛰었고 저녁도 식당이 아닌 편의점으로 선택했기 때문에 예산이 많이 남아 술, 안주, 도시락과 과자, 당장에 행복해질 수 있는 이런 마법의 식품들을 잔뜩 살 수 있었다. 그렇게 뿌듯한 사냥을 마치고 나오니 어느새 해가 지기 시작해서 서둘러 근황 보고용 길거리의 영상을 찍어 SNS에 올리고 숙소로 돌아왔다.

아직도 따끈따끈한 온천 달걀이 올라간 치킨 카레와 녹차로 식사를 하고 있자니 SNS에 올린 게시물에 다정한 댓글들이 달리고 있다는 알람이 울렸다. 그리고 댓글을 보려 내 게시물을 열어본 나는 적지 않게 당황하게 된다

어? 저게 내가 조금 아까 봤던 풍경인가?

내가 올린 영상에는 조용한 일본 도시의 밤거리가 찍혀있었다. 그곳은 (내 기준으로) 무언가 독특한 재미가 있어, 내가 리뷰로만 보았다면 아 이곳에는 무슨 이 야기가 있을 것 같아 하고 상상의 나래를 펼쳤을 법했다. 하지만 그것을 찍었던 것도 나 자신 이건만, 당시는 전혀 그런 생각을 하지 않았다. 그저 대충 불빛이 있는 곳을 찍고 서둘러 발걸음을 옮겼을 뿐. 전구로 장식된 예쁜 간판에도, 오르골 소리가 나오는 거리도, 흥겨운 CM 송이 흘러나오는

소가 그려진 표지판도 아무 감정도 느끼지 않고 지나친 것이다.

이제는 인정할 수밖에 없었다. 나는 아직 여행을 시작하지 않았던 것이다. 심심해지면 조금 걸으며 주변을 둘러보는 대신 핸드폰을 켜 SNS나 재밌는 동영상을 보았고 좋은 풍경을 보면 찬찬히 바라보며 생각에 잠기지 않고 혼자 그걸 보고 있다는 외로운 마음이 들어 단톡방에 공유하며 지인들과 이야기를 했다. 나는 나와 대화를 하러 온 건데 내 메모장에는 스케줄 몇 줄 뿐, 잠잠함 그대로였다. 여행과 동시에 쓰려고 했던 순간순간의 감정은 단 한 줄도 쓰지 못했다.

하지만 내 여행에 관심 가지고 함께 즐겨주는 이 상냥한 대화들을 내가 포기할 수 있을까? 나는 도무지 용기가 나지 않았다.

정보 마당

공항에서 다음 목적지로! :

공항 리무진 버스 정보는 구글맵에서 검색이 힘들 때가 있고(일반 시내버스나 JR만 나오는 경우가 많음) 리무진 버스가 보통 민간 기업들로 운영되어 문의나 티켓 구매 카운터가 회사별로 다른 경우가 있기 때문에 홈페이지 교통 정보에서 미리 해당 지역으로 가는 버스회사의 카운터와 노선, 시간표 등을 확인하는 편이 확실하다.

신치토세 공항에서 오비히로 버스터미널까지 :

2023년 기준, 오비히로 방면 버스는 호쿠토 교통에서 운행하고 국제선과 국내선 모든 정거장에서 정차한다. 국내선 쪽에는 티켓 자판기와 버스회사 카운터가 있고 국제선 쪽에는 티켓 자판기만 있다. 탑승 인원이 많으면 탈 수 없는 경우가 생긴다고 하여 나는 호쿠토 교통 홈페이지에 연결되어 있는 온라인 예약 사이트인 버스나비에서 티켓 구매와 좌석 지정까지 하고 국내선 호쿠토 교통 카운터에서 교환했다.

신치토세 공항 교통난 -> 오비히로, 토카치가와 온천 시간표

보기 클릭 -> 호쿠토 교통 홈페이지의 해당 노선 시간표에서 온라인 예약 클릭 하면 해당 노선 바로 예약 페이지로 연결이 되니 검색이 어려울 것 같으면 이런 방법을 추천한다. 편의 시설은, 국내선 버스탑승장앞에도 넓은 대기실과 식당, 편의점이 있었지만 국제선 쪽보다는 협소하니, 식사나 쇼핑을 하고 싶다면 국제선에서 하고 오는게 나은 것 같다.

저렴한 이동 방법을 찾는 법 :

많이 알려진 방법으로는 방문하는 지역의 관공서 홈페이지나 관광청 웹사이트에 접속하여 교통 할인 티켓을 확인하는 방법이 있는데 이 방법으로 확인할 수 없는 것이 바로 관광지나 숙소에서 자체적으로 운행하는 셔틀버스이다. 크게는 인근 도시까지 운영하는 곳도 많은데 유료인 경우도 있고 무료인 경우도 있지만 보통 해당 관광지의 티켓이나 숙소의 숙박비와 합쳐도 다른 이동 수단보다 저렴할 때가 많다. 또한 자동차가 없으면 가기 힘든 지역에 들어가기도 편하기 때문에 매우 추천하는 방법. 이후 챕터에 나올 아칸도 이런 방법으로 저렴하고 편하게 다녀올 수 있었다.

4화: 오비히로의 행복 역

오비히로

숙소에서 취향이 같은 책을 만나면 왠지 그 숙소가 좋아져서,
그곳에 머무는 시간이 더 편하고 안전하게 느껴진다.

아직 어스름한 새벽, 불 꺼진 식당 문을 열고 들어가자, 호텔의 조리실에서 토닥토닥 도맛소리가 들려왔다. 아직 이른 시간인데 벌써 조식 준비를 하기 시작한 걸까? 도시락을 전자레인지에 넣고 조리실에서 새어 나오는 오렌지색 형광등 불빛을 보며 챠르륵 치익 하고 무언가 팬에서 볶아지는 맛있는 소리, 짭조름한 미소 시루의 냄새에 코를 킁킁거리고 있는데 프런트 직원분이 식당 문을 열고 들어왔다. 이 시간에 손님을 마주칠 거라 생각 못 했는지 움찔하고 당황하기에 같이 당황해 잠시 말없이 응시하다가 좋은 아침입니다 라고 내지르듯 인사를 던지고 데워진 도시락을 들고 후닥닥 객실로 돌아왔다.

뒤늦게 객실 거울 안에서 목까지 꽉꽉 잠근 검은 롱 코트, 뒤에서 보면 안 신은 듯 보이는 호텔용 얇은 실내용 슬리퍼에 맨발, 젖은 채 그냥 잠이 들어 거칠게 자란 황금색 머리털과 피곤으로 검게 된 눈에, 혈색이라고는 하나도 없이 파랗게 질린 입술을 가진 도깨비 한 마리를 보고 직원분이 놀란 이유가 이것이었음을 깨달았지만 때는 이미 늦은 것. 인사성은 바른 도깨비였으니 부디 너무 무섭진 않으셨길 바라며 한 사람의 아침을 서프라이즈로 채워 주었다는것에 뿌듯한 마음을 가지고 즐겁게 아침 식사를 했다.

식사 후 서둘러 오전 업무를 마치고 외출을 하기 위해 호텔 로비를 나가자 갑자기 와다닥 달려든 강풍이 홋카이도에

(이 도깨비는 사납게 생겼지만 물진 않아요.)

어서 오게! 하며 다짜고짜 귀를 마구 때렸다. 열이 심각하게 많은 체질이라 겨울에도 반소매에 얇은 코트나 후드 점퍼 같은 것을 입고 눈이 펑펑 오는 곳을 누비며 자랐기에, 곧 벚꽃 시즌인 3월 중순 의 홋카이도, 더우면 더웠지! 하며 얇은 코트에 역시 반팔을 입고 왔는데 오산이었다. 3월 중순의 홋카이도는 추웠고 무엇보다 바람이 너무 따가웠다! 마치 12도 정도로 에어컨이 세팅된 방에서 선풍기를 강으로 틀고 굳이 마주 보고 앉아있는 느낌이라 할까? 주민들은 아무렇지 않게 가을 코트 같은 것을 입고 걸어가는 것에 감탄하며 바람을 피해 서둘러 어제 공항버스에서 내렸던 버스터미널로 향했다. 오늘의 목적지로 가기 위해 버스 센터에서 판매하는 원데이 버스 티켓을 살 생각이다.

안내소 겸 대기실에 들어가자, 바닥에는 용무별로 창구를 구분한 화살표가 있었지만, 한자와 일어를 읽지 못하는 나는 어느 화살표로 가야 하는지 알 수 없었고, 정신을 차려보니 안내소 입구에서 활짝 열린 입구 문으로 쏟아지는 아침 햇살을 조명처럼 등지고 이쪽저쪽 화살표 위를 날아다니고 있었다.

(안녕하세요, 레이디. 이런 손님은 처음인가요.)

대기하는 손님은 없었던 지라 창구의 직원에게 정면으로 나의 댄스를 선보이게 된 셈인데, 평소에 댄스 게임으로 단련된 내 움직임은 나름 그루브가 있으면서도 절제 있는 꽤나 볼만한 것이었으니 다행이었다. 근거는 언제나 그렇듯 없지만. 얼마 전에도 처음 해본 사람에게 별 3개로 졌지만.

그렇게 한참의 춤사위를 보이고 티켓을 구입한 그 창구가 맞는 창구였는지, 아니면 다른 출구지만 그냥 친절한 직원이 도와주신 건지는 기억도 나지 않고 알 수도 없었다. 나에게도 그 분에게도 중요했던 단 한 가지는 우선 둘 중 하나가 웃음이 터지기 전에 헤어지는 것이었으니까.

얼른 티켓을 사서 버스 센터에서 나와 빨개진 볼을 식히며 11번 정류장에서 행복 역으로 가는 60번 버스를 기다렸다. 곧이어 도착한 버스를 타고 시내를 벗어나니, 끝없는 눈밭이 이어졌다. 눈 덮인 행복 역을 노리고 왔는데 정말 잘됐다! 이왕이면 걸어 들어갈 수도 없을 정도로 가득 쌓여 있었으면!

홋카이도의 첫 일정인 행복 역은 한 시간에 한 번 다니는 버스를 타지 않으면 갈 수 없는 외곽의 작은 관광지에다, 그쪽으로 가는 버스는 딱 한 대. 이동은 편도로 50분이 걸리며 특히 겨울에는 시설의 대부분 닫는 지라 뚜벅이 여행자들이 선호하는 관광지는 아니다. 하지만 나는 관광지의 유명함의 정도보다는 재밌을 거 같아, 낭만적이네, 색의 조합이 멋있을 것 같아, 이름이 흥미로워, 왠지 가야 할 것 같아 등등의 이유로 관광지를 정하는 사람인지라 행복 역 또한 이동이 오래 걸리고 힘들겠지만, 왠지 저기 가면 행복 해질 것 같아! 그리고 저기 가서 낭만을 사고 싶으니까! 를 이유로 결정 했었다. 접근성이 최악임에도 홋카이도 여행을 5번 계획하고 취소하는 동안 단 한 번도 리스트에서 빼지 않았던, 아직 방문 전이지만 나에게는 이미 특별한 곳이기도 하다.

그러나 드디어 도착한 행복 역 전경이 눈에 들어왔을 때 꿈은 꿈이어서 아름다운 걸까 하고 나도 모르게 한숨이 나왔다. 주차장에 들어선 관광버스에서 쏟아지는 많은 관광객들. 그리고 잘 조성된 숲과 편의시설들. 리뷰에서 봤던 것처럼 인적이 드물어 눈을 밟는 발걸음 소리만 들릴 만큼 조용하다는 작고 오래된 폐역은, 어느새 개발이 되어 너무나도 깔끔한 시설들 사이에서 마치 인공적으로 레트로한 느낌으로 제작해 놓은 테마파크의 일부분 같이 보였다.

아니야, 여긴 그리고 그리던 행복 역이라고. 그냥 실망하고 넘어갈 순 없어.

우선 크게 호흡을 해보았다.

(호흡해보라고 하면 라마즈 호흡이나 습하 습하를 하는
2000년대에 청춘을 보낸 사람)

(미안하지만 그만 같이 다녔으면 해.
내가 지금 원하는 건 바보스러울 정도로
낭만적인 사람이야)

잠시 진정하고 생각해 보니 이건 풍경의 문제라기보다 마음의 문제, 바라보는 내가 너무도 현실적이고 부정적이고 권태롭기 그지없는 사람이 된 것이 문제였다. 그리고 그 사람은 이번 여행에 결코 같이 여행하고 싶지 않았던 사람이고 말이지.

한차례 더 크게 호흡하고서 귀에 잔잔한 음악을 큰 볼륨으로 틀어 외부 소리를 차단하고 하늘하늘 걷기 시작했다. 눈밭에 발도 담가보고 나무마다 가서 냄새를 킁킁 맡으며 안아 보고(이건 좀 변태같은가), 사람이 드문 구석에 가서 작은 눈덩이도 만들어 진열해봤다. 있는 그대로가 아니라 내 망상과 감성의 필터를 넣어 다시 이곳을 볼 수 있기 위해, 다른 관광객들이 아니라, 시설의 상태가 아니라, 감정을 보기 위해 머리를 비우는 작업이였다. 저거 다 상술이야 하는 대화를 한 귀로 흘려 들으며 상점으로 가서 행복 역 구 역사 건물에 붙여 둘 티켓 모양의 종이와 오늘 날짜가 찍힌 행복 역 발 실제 열차 표가 들어있는 열쇠고리도 하나 샀다. 가지고 간 노트에 관광용 도장도 콱 찍고, 아까 산 티켓에 나의 메시지도 적어 수많은 각자의 행복을 기원하는 틈새에 끼워 넣었다.

뿌듯한 마음으로 내가 붙인 열차 표를 한참 보다가, 기록을 남겨두어야겠다 싶어 밖으로 나가 영상을 찍는데 마침 한 부부가 건너편을 지나갔다. 두 사람 중 누군가가 이렇게 말했다. 이 열차 표들 좀 봐요. 굉장하네 우리도 하나 사서 붙입시다. 그러자 상대편이 긍정적인 대답을 했는지 부정적인 대답을 했는지는 기억나지 않지만 그 누군가의

(그 말을 듣고 덩달아 행복해졌다 :-))

다음 말은 또렷하게 기억난다. 보기만 했는데도 벌써 행복해지네. 라는 그 대답.

그렇게 분홍색으로 물든 한 칸짜리 작은 역에서 머리를 비우고 좋은 기운만 만끽하고 나서 바로 근처의 실제 당시에 사용하던 열차가 끊긴 폐선로 위에 올려져 있는 곳으로 향했다. 짧은 시간 동안 머물다 가야 하는 단체 관광객들은 외부에서만 기념 촬영을 하고 바로 떠나곤 했기 때문에

열차 내부는 온통 내 차지였다.

열차 안에는 밖의 추운 날씨에 비해 다소 높은, 서늘한 늦여름과 초가을 사이의 정도의 공기가 고여있었고 멀리서 들려오는 웃음소리들 외에는 완전한 적막함이었는데, 내부를 천천히 걸으면 끼익 끼익하고 크게 삐걱대는 나무 바닥의 소리가 들려 마치 내가 소리를 새기며 걸어가는 기분이었다. 아주 천천히, 아주 아주 천천히 걸음을 옮기며 열차 내부를 둘러보았다. 잠겨있는 운전석 부근 외의 객실 쪽은 꽤 나 잘 보존되어 있었고 의자 쿠션도, 천장의 선풍기도 말끔해서 그저 멈춰있을 뿐이라는 느낌이 들어 더 즐거웠다. 금방이라도 사람들이 올라타고 덜컹덜컹 달려갈 것만 같아서, 이렇게나 조용한데도 어디선가 여행을 떠나는 사람들의 즐거운 대화 소리들이 들리는 것 같아서 말이다.

열차 복도를 왔다 갔다 하다가 그게 질리면 창가에 서서 더 이상 달리지 않는 바깥 경치를 바라보았다. 그렇게 천천히, 충분히, 열차를 즐기고 나와 친구들에게 줄 만한 기념품이 있는지 보기 위해 상점을 찾았다. 9시 첫차를 타고 와서는 몇 번 관광객들이 썰물처럼 들어왔다 빠지기를 반복하는데, 가지도 않고 아까부터 휘적휘적 혼자 동네 주민인 양 느긋하게 돌아다니던 내가 궁금하셨는지 상점의 할머니께서 어디서 왔는지 물으셨고 한국에서 왔다고 하며 짧은 대화를 나눴다.

그나저나 돌아가는
버스 시간은 알고 있니?
여긴 차가
뜸하단다.
날씨도
춥고.

현재 시간 11시 20분
네, 물론이죠!
12시 45분!
아니야!
11시 50분에 있어!
춥지만
기다려야죠
뭐.
너무 오래
기다리잖아!

(반대로 주말엔 그 시간은 운행하지 않는다는 뜻이었다.)

사실은 이후에 급한 일정도 없어서 12시 45분에 맞춰 가도 되었지만, 버스 시간표를 굳이 찾아와 돋보기까지 꺼내 쓰시고 다음 목적지로 가는 시간을 찾아 알려주신 매점 할머니의 친절이 기뻤다. 그래서 최선을 다해 버스정류장으로 달려가는 모습을 보여드리고 싶어서 열심히 달렸더니, 뛰지 않아도 돼! 버스 시간은 아직 있어! 넘어질라 하는 목소리가 뒤따라 왔다. 몸을 틀어 고개 숙여 인사하고 소리 내어 감사합니다! 하고 말하자 왠지 뱃속이 간질간질하고 따뜻해졌다.

그리고 행복 역 부지를 나와 정류장으로 빠른 걸음을 걷던 바로 그 순간이었다. 두툼한 꼬리를 한 오렌지색 개가 앞서 달리고 있는 것이 보였고 정말 개? 하고 의심하는 동시에 돌아보는 동물의 입매가 뾰족했다.

여우! 홋카이도 야생 여우다!

생애 4번째로 마주친 야생 여우였는데 그중에서도 최단 거리에서 본 녀석이었다. 튀어나오는 기쁜 외침은 손으로 막았지만, 흥분해서 번뜩이는 눈으로 뚫어져라 응시하는 건 참지 못했다. 내 진득하고 흥분을 넘어 광기가 어린 시선을 5초 정도 마주쳐 주던 여우는 다시 몸을 돌려 가던 길을 재빨리 달려갔고 그제야 아차 싶어 얼른 카메라를 켜고 들이밀었지만 이미 여우는 점이 되어가고 있었다.

가까이서 찍진 못했지만, 홋카이도 야생 여우를 이렇게 가까이서 봤다는 사실에 매우 흥분하여 발을 동동거리다가 메신저에 여우를 봤다고 소식을 알렸다.

여우야! 여우를 봤다고!

이렇게나 가까이에서 눈을 마주쳤어!

지인들도 신기해하며 또 여우를 보면 사진을 꼭 찍으렴

이라고 하기에, 에이~ 홋카이도에 아무리 여우가 많다고 한들 그렇게 쉽게 또 보겠어? 그런 기적이 일어나면 내가 여행 중에 SNS를 끊는다 하하 하고 타자를 치고 있는데 그 순간 건너편 눈밭에 또 다른 여우가 나타났다.

(너네 오늘 무슨 모임 있니 그거 어디서 하는데)

바로 메신저를 끄고 카메라를 키고 촬영을 하는데, 이미 멀리까지 가서 통통통 경쾌하게 눈밭을 가로지르던 여우는 잠시 멈추더니 숨 쉬는 것도 잊고 촬영 하고 있는 내 쪽을 바라보았다. 그리고 나는 나도 모르게, 들릴 리도 없는 멀리 있는 여우에게 알았어 SNS를 끊을 게! 하고 어젯밤 그렇게 망설이던 결심을 단박에 말했다.

그러자 그 순간 신기하게도 바람이 더 이상 차갑지 않았고 숨을 들이켜면 청량하게 전신을 돌아, 몸속에 돌던 공기를 순식간에 바꿔버렸고 나는 구르듯 속도를 내어 정류장 의자로 달려갔다. 휘감기는 바람에 머리는 산발이고 콧물은 흘러내릴 기회를 노리고 있고 얼굴은 풀어져 자꾸 헤실거렸지만 상관없었다. 왜냐하면 드디어 즐거워 견딜 수가 없을 여행이 시작되었으니까!

정류장에 앉아 정신없이 여우가 사라진 숲길을 스케치했다. 꽤 맘에 드는 스토리가, 근사한 그림 구도가 종잡을 수 없이 떠올랐다.

이 마법 같은 만남의 하이라이트는, 신이 나서 노트 위에 스케치를 하다 고개를 들었더니 다시 나타나 느긋하게 길에 앉아 있던 또 다른 여우였지만, 이번엔 사진을 찍지 않았다. 누구에게도 보고하지 않았다. 그저 고개를 들어 간혹 여우와 눈을 마주치며 계속해서 스케치를 했다. 할머니가 약속하셨던 시간의 버스가 올 때까지.

정보 마당

행복 역에 대하여 :

행복 역幸福駅 은 실제 행복이라는 이름을 가진 마을의 역 이름으로 1956년에 만들어졌는데, 위치적인 이유로 1972년까지는 년 7장밖에 표가 팔리지 않을 정도였지만 1973년 NHK방송에 소개된 이후로 바로 앞 역인 애국 역과 더불어 인기를 얻어 300만 장까지 늘어나게 되었다. 해당 역까지 가는 노선이 적어, 주로 방문은 자동차나 버스로 하게 되어 역 자체는 결국 1987년에 폐선이 되었지만, 관광 포인트로는 남겨달라는 많은 요청으로 철거되지 않고 지금까지 남아 있다.

25년간 이곳에서 가게를 한 행복 아저씨(혹은 할머니)가 계셔서 기념품도 구매할 수 있는데, 그중 유명한 것이 실제 행복 역이 운행 중일 때도 사용했던 기차표. 실제로 사용할 수는 없지만 방문 당일 날짜로 인쇄된 것을 구매할 수 있다.

그 외에 구 행복 역 대기실과 플랫폼, 그리고 열차를 볼 수 있고 웨딩 행사도 진행하고 있다고 한다. 여름에는 주변의 상점들도 영업을 할 것 같은데 내가 방문한 시기는 겨울 중에도 비수기라 매점과 함께 있는 기념품 가게만 열려 있었다.

행복 역 상점에서 티켓 모양 엽서 구매와 기념 도장을 찍을 수 있다. 엽서를 사면 구 역사에 붙여 놓을 압정도 같이 주신다.

정말 소원 성취의 힘은 없을지도 모르지만,
나는 이 순간 당장에 조금 행복해졌다.

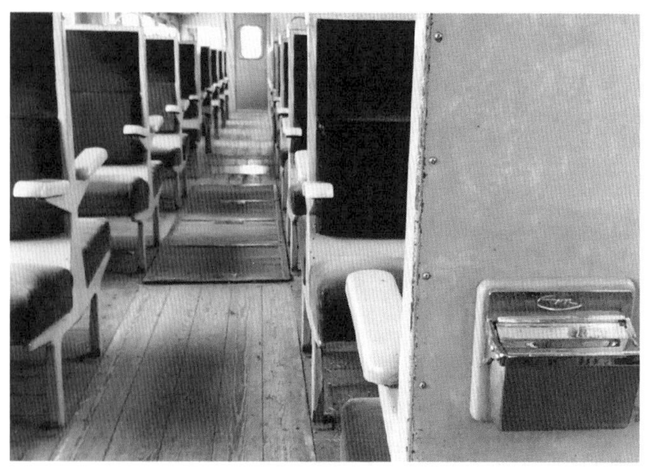

멈춰 버린 기차의 내부란 으스스하면서도
동시에 따뜻하고 애틋한 것이었다.

행복 역으로 가는 티켓 :

오비히로 버스 터비널의 버스 센터나 모바일 앱(토카치버스 홈페이지 참고)에서 900엔에 (2023년 기준) 원데이 티켓을 구입할 수 있다. 행복 역까지 가는 표가 편도 610엔이기 때문에 훨씬 이득인 셈.

현금으로 버스 타기 :

현금을 내려면 뒷문으로 탑승 할때 문 옆에 있는 매표기에서 탑승한 해당 정류장의 번호표를 뽑아 두었다가 전광표를 보고 해당 번호가 적힌 곳의 금액과 함께 내면 된다. 사진은 혹시 몰라서 오비히로 버스터미널 (1번)에서 뽑은 표인데 원데이 티켓은 그냥 티켓을 보여주면 되서 필요 없었다,

5화: 신경 쓰이는 손님

오비히로

혼자 여행하면 혼잣말이 많이 느는 건 왜 일까
(오비히로 역 사슴 동상과 수다 중)

여우 출현에 자극을 받아 무아지경으로 스케치를 하고 있는데 행복 역의 할머니가 말씀하셨던 오비히로 역으로 돌아오는 버스가 도착했다. 짐을 급히 챙겨 정신없이 탔는데, 아차 낭패다, 내가 앉은 자리가 보통 좌석보다 많이 낮은 것이, 아무래도 노인석 혹은 아이를 위한 좌석 같았다.

왠지 재래식 화장실에서 취할 법한 무릎이 허리보다 올라오는 요상한 자세가 되어 쑥스럽기도 했고 버스 안에 나 외의 승객은 없었지만 다음 손님이 타고 그 손님이 노인 분이면 자리를 내가 차지해서 어쩌지 싶어(양보하면 되는데 당황해서 생각 못했다), 안절부절못하고 있다가 첫 번째 정거장에서 버스가 멈추자마자 재빨리 앞쪽의 다른 좌석으로 날았다. 그런데 잠깐, 이 방향은 아까 이미 창밖 풍경을 촬영한 방향인데? 나는 또 자리를 옮길까 말까 한참 고민하다가 두 번째 정거장에서 버스가 멈추기를 기다려 재빨리 다시 반대쪽으로 날았고, 그렇게 3번째 자리에 정착한 후에야 펼쳐진 풍경에 만족스러워하며 촬영을 시작했는데 왠지 묘한 일이 벌어졌다.

세 번째 정거장에 버스가 멈추고 아무도 타는 사람이 없는데 버스가 움직이지 않는 것이다. 배차 시간을 고려한 듯한 시간 이외에도 추가로 미묘한 시간이 흘렀다. 잠시간 동안 움직이지 않는 버스에, 화장실인가? 화장실이 급하신 걸까!? 하고 운전석 쪽을 보자 그제야 출발을 하는 게 아닌가.

순간 생각이 들었다. 아, 혹시 기사 아저씨는 날 배려하셨던 걸까? 벨은 누르지 않았으니 하차하는 것은 아닌데 버스가 설 때마다 날다람쥐처럼 버스 안을 이동하는 손님이 다치지 않도록, 이번에는 어느 방향으로 날지 두근두근하면서 말이다.

그 사실을 깨닫자 아침에 버스 안내소에서부터 여러 사람에게 왔다 갔다 댄스를 선보이고만 날다람쥐는 고마우면서도 왠지 쑥스러웠다.

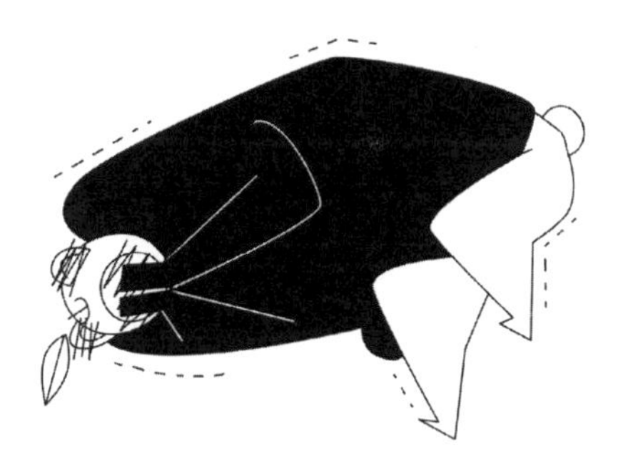

그렇게 기사 아저씨와 창밖에 흩날리는 저 눈가루처럼 희미한 친분을 쌓고 한결 편한 자세로 풍경을 감상하는데, 여러모로 마음이 달라졌기 때문인지 아니면 방향이 달라서인지 아까 행복 역으로 향하며 한 시간가량을 계속 봤던 설원이 지겹기는커녕 운행 내내 꾸준히 눈부시다.

(정답 : 정오라 해가 높이 떠서)

한동안 계속되던 조용한 드라이브는 한 정거장에서 남녀 학생 몇 명이 우르르 버스에 오르며 분위기가 달라졌다. 전 세계 공통 법칙인지 텅 빈 버스에서도 왠지 뒷자리에 모여 앉은 학생들은 오늘 삿포로로 갈 예정인 듯했다. 스스키노(삿포로의 번화가)에 가면 어디에 가고 뭐도 하고 밤새 놀자 하는 즐거운 이야기들을 듣고 있자니 혼자인 게 쓸쓸해지는 느낌이 들려 하여 차창으로 더 고개를 돌려 풍경에 집중하는 척해보았다.

나도 말이지 몇 밤만 자면 도착할 내 친구와 삿포로 갈 거거든 그러면 우리도 스스키노라는 곳에 갈 거고 멀미 나니깐 관광버스 뒷자리엔 못 앉겠지만, 우린 서로 은근 내외하니깐 팔짱은 안 끼겠지만, 그래도 같은 걸 보면서 여기 끝내준다 하며 반짝반짝할 거란 말이지. 그렇게 마음속으로 몰래 한 시샘 어린 다짐은 버스가 오비히로 역에 정차할 때까지 계속되었다. 혼자 여행은 조용하고 생각할 시간도 많지만 이럴 때는 너무나 외로운 것 같다.

한 시간가량 버스를 타고 오비히로 버스 터미널로 돌아오자 마침 점심시간 즈음이었다. 배가 살짝 고파와서 근거리 식당을 검색하다가 한국에서도 혼자서 외식하기를 잘 못하는 나에겐 혼자 식당 도전은 아직 너무 큰 과제 같아서 당장의 배고픔은 그냥 물로 채우기로 하고 일어섰다. 나는 배고프지 않다고 진심으로 믿으면 한두 시간은 위장을 속일 수 있겠지.

물을 씹어 삼키며 향한 곳은 며칠 후에 사용할 레일패스 티켓을 바꿀 JR 관광 안내소인데, 오비히로 지점은 버스터미널 위쪽, 사슴 동상과 분수가 있는 작은 광장의 바로 뒤편에 있는 JR 오비히로 역 내부에 있었다.

안내소에 들어가 한국에서 미리 사 온 플렉시블 티켓과

일정표를 창구에 제출하자 안내소 직원분께서 안타깝게도 플렉시블은 사용을 시작하는 당일, 사용을 시작하는 역에서밖에 교환이 안 된다는 이야기를 해주었다. (게시한 날 받은 표들은 다음 여행지에서는 시간 상관없이 사용 가능) 행복역과 같은 맥락으로 꼭 가고 싶었던 곳들인데 마찬가지로 자동차가 없이 대중교통만으로 가려면 J안내소의 평균적인 오픈 시간 이전인 새벽 5시에는 출발하는 열차를 타야만 해서 미리 교환하러 했건만... 당일 개시해야 한다니! 퍼즐처럼 겨우 짜 맞춘 일정이 와르르 무너지는 순간이었다. 열차 시간 검색은 수십 번 해놓고 왜 이 가능성을 간과한 거야! 바보! 심각한 멍청이!

하지만 스스로에 대해 분노하느라 동동거리는 중에 물로 채운 배가 고로록 고로록 대는 소리가 났고 동시에 명안이 떠올랐다. 그래, 홋카이도에 또 오면 되지 않는가.

(표정의 변화 속도만큼이나 일정에 대한 포기도 빠른 편)

홋카이도를 또 여행할 명분을 찾고 나자 오히려 마음이 한결 편해져 웃으며 인사를 하고 안내소를 나올 수 있었다.

빈 일정이야 다른 곳들을 보면 되고, 돈이야 살아있다 보면 시간이 걸리더라도 어떻게든 또 모이게 되어있는 법이니까 괜찮아, 괜찮아.

(하지만 모아야 할 금액을 생각 했더니 나도 모르게 무서운 표정이 나왔다.)

정보 마당

가게 찾기 :

여행지에서 식당을 찾을 때는 "여길 못 가면 엉덩이가 두 짝이 될 거야! 꼭 가야만 해!"하는 곳이 아니라면 즉흥적으로 정하는 편인데 그럴 때 큰 도움이 되는 게 바로 구글 맵.

상대적으로 광고성 내용도 적고 현지인과 외국인 모두의 리뷰가 다양하게 적혀 있어서 도움이 된다. 기타 관광이나 맛집 사이트에는 등록 되어있지 않은 아주 작은 가게들의 정보까지 찾을 수 있고 말이다.

그래서 가끔 관광객이 전혀 없는 지역에 가게 될 때 그 지역을 사랑하는 주민 누군가가 적어 둔 해당 가게에 대한 애정이 가득한 리뷰들을 보면 유령도시같이 아무도 없는 이곳에도 이곳을 사랑하는 누군가가 살고 있구나 싶어 마음이 따뜻해진다. 또 그렇게 찾아가면 따스하고 좋은 현지인들의 가게를 찾을 가능성도 크다.

구글 맵으로 가게 찾기 예시 :

혼자 가는 게 너무나 어색해서 오비히로에 머무는 내내 고민하다 포기했던 카페 リルビッツカフェ LITTLE BITS CAFÉ는 굉장히 독창적인 파르페를 팔고 있는 듯했다. 색색의 마시멜로들과 우주가 그려진 장식물, 귀엽게 보이기까지 하는 거미 젤리. 메르헨 적이면서도 쾌혈한 느낌의 사진들이 잔뜩이었는데 촬영에 조명을 딱히 신경 쓰지 않으셔서 그것이 섞어 무언가 독특한 분위기였다. 마치 친구네 놀러 가서 친구가 만든 실험적인 디저트 대접받는 느낌.

구글 리뷰에도 가게에 대한 손님들의 애정이 보였고 카페의 웹사이트에는 주인분이 쓰시는 일기가 올라와 있었는데 찬찬히 읽으며 미소가 계속 지어졌다. 다음에는 가볼 수 있기를.

6화: 가난한 찰리

오비히로

평범한 거리도 여행으로 가면 왜 이렇게 재밌을까?

괜찮아 내 앞에는 아직 3명이나 있다고. 조금 강경해 보이는 샐러리맨, 착해 보이는 학생, 맘씨 좋아 보이는 어르신. 그러나 그들은 냉정하게 그녀를 지나쳤고 3번이나 실패한 그녀는 애처로운 눈으로 나를 향해 몸을 틀었다. 눈을 보면 안 돼, 안되는데… 내 발은 이미 그녀 앞에 나를 대령했고 손은 귀에서 이어폰을 뺀다…

그래요, 무슨 이야기가 하고 싶으신가요? 그렇군요. 이 지역의 오염과 쓰레기 분리법에 대해… 저는 여기 내일 까지만 살지만 그래도 지역 발전을 위해 사인은 하겠습니다.. 절대 제가 호구라는 게 아니고... 아 네, 이메일도 필요하시군요.. 드리겠습니다...

안에서 새는 호구는 밖에서도 거침없이 새는 법. JR 티켓 바꾸기 실패의 아픔을 잊고 씩씩하게 저녁 간식과 필요한 물품을 사러 가다가 붙들려 한참 설명을 듣고 이메일 주소와 사인까지 하고서야 나가사키야 문을 열 수 있었다.

JR 센터에서 나가 횡단보도를 건너면 바로 있는 나가사키야는 이 지역에서 제일 크다는 쇼핑센터! 바꿔 말하면 그 짧은 순간에 잡혔었다는 소리다. 내가 포켓몬이었다면 스치기만 해도 잡을 수 있는 꼬렛이나 피존이 아닐까?

(매력 있어, 괜찮아! 키우면 세져!)

내가 목표로 하던 물건, 그것은 노트북용 마우스와 핸드폰용 이어폰이었다. 정신없던 출국으로 이동 중에 사정없이 밟힌 이어폰은 심한 노이즈가 생겨 음악을 재생할 때마다 꽥 소리를 지르게 했고, 노트북도 없이 혼자 자취방을 쓸쓸히 지키고 있을, 까먹고 온 마우스에 대한 부재는 트랙패드를 연신 쓸어내리느라 지문이 닳는 것 같은 고통을 느끼게 해 주었기에 여행 내내 필요한 장비들이니 할 수 없어! 하고 비상금으로 빼 두었던 5,000엔을 챙겨 나온 것이다.

(속보 : 마우스 , 사라졌던 주인님이 다른 마우스와 돌아오다니 배신감 느껴..)

나가사키야의 에스컬레이터로 올라가서 문을 열자마자 나온 매장은 매우 넓고 다양한 것들이 가득했지만 손님이 너무나도 드문 점에서 마치 윌리 웡카의 초콜릿 공장 같았다.

평일인 걸 고려하더라도 심하게 텅 빈 매장을 가로지르자, 초콜릿 공장의 호두를 까는 다람쥐들처럼 묵묵히 일하던 직원들이 일제히 각자의 상점에서 고개만 내밀고 호기심과 기대가 섞인 동그란 눈으로 오랜만에 등장한 방문객을 쳐다봤고 가난한 찰리는 속절없이 흔들리는 눈동자로 침을 꼴깍 삼켰다.

가게를 들어가면 사고 싶은 게 없어도 뭔가 사고 나와야 할 것 같은 강박에 시달리는, 지갑에 해로운 성격을 가진 나 같은 인간에게 이 넓은 백화점 안에 혼자 손님인 듯한 분위기는 당황스럽기만 했다. 드라마나 영화를 보면 부자들이 백화점을 통째로 빌려 쇼핑하는 장면들이 보이던데, 그런 것이 하나도 부럽지 않은 기분이다.

첫 목표는 전자 상품, 전자 상품 매장으로 직행 하자..! 잠시 당황했지만, 티를 내지 않고 당당히 걸음을 뗐다. 하지만 하필이면 매대 중심의 벽이나 문이 없는 상점들이 모여 있는 위치였기에 걷다가 삐끗하면 그 상점 안에 들어가는 격이라 긴장해서 바닥만 보며 걸었더니 여기가 어딘지 알 수 없게 되었다. 사실은 애초에 지도도 보지 않았기 때문에 전자 제품 매장의 위치도 모르기는 했지만.

(지도 같은 건! 길 잘 찾는 사람들이나 보는 것이에요!)

결국 어딘 가에서 고립된 나는 다람쥐 한 분께 말을 걸어 목표로 하던 물건을 살 수 있는 매장의 위치를 물었고, 천만다행으로 담당하고 있는 매장에서 판매하고 있다며 안내를 해주셨는데 세상에, 바로 동키호테였다!

그랬다, 이 거대하고 조용한 쇼핑몰에는 아주 작긴 했지만, 없는 물건이 없고 저렴하기까지 하다는 동키호테도 존재했던 것이다! 다람쥐님은 그중에서도 할인상품의 위치를 찾아 주셨고 1500엔도 안되는 가격에 이어폰과 마우스를 둘 다 살 수 있었다.

5,000엔 예산을 잡고 왔는데 돈이 이렇게 많이 남으니 기쁨에 뭔가 더 살까 하고 동키호테를 배회하다가 어딘지 그리운 느낌의 가계부를 찾았다.

우리 어릴 때 엄마의 잡지에 딸려 왔을 법한 디자인인데, 그렇다고 세련되지 못하다기보다 어여쁘다가 어울리는 표지에, 내부는 또 깔끔해서, 전체적으로 뽀송하고 산뜻하고

따뜻한데 정갈한 느낌의 가계부였다. 가계부 하나에 거창거창한 표현을 쓴다 싶겠지만 왠지 친구 한 분이 연상되는 물건이어서 한참을 살까 말까 고민해서 그런가 보다. 하지만 선물하기엔 질이나 가격이 너무 저렴해서 애매한 물건이라 그냥 내가 가지기로 하고 구매했다. 종이 가계부는 쓰지 않지만, 만약 언젠가 사용하게 된다면 그분이 생각나서 즐거운 마음으로 쓰게 되지 않을까 해서. 여행 내내 이렇게 누군가가 생각 나는 물건을 가지고 있었더니 같이 여행하는 것 같아 신기하고 즐거웠다.

그렇게 이어폰, 마우스, 가계부를 사고는 돈을 아꼈다고 우쭐해진 찰리는 취하기 전부터 취한 기분으로 식품매장으로 달려갔고 술과 안주를 잔뜩 사는 바람에 2,000엔 이상을 써버렸다.

(괜찮아, 술과 안주는 중요한 (마음의) 양식이니깐.)

정보 마당

나가사키야 가는 길 :

이 책을 정리하는 2023년, 검색해보니 나가사키야는 몇달 전에 폐점을 했다고 한다. 33년간 영업을 했다고 하는데 참 안타까울 뿐이다. 이제는 없지만 상상으로라도 같이 가보고 싶어서 이전에 써두었던 내용을 아래 넣어보았다.

오비히로 버스터미널 뒷 쪽에 구성되어 있는 사슴 동상들이 있는 작은 광장을 보면 바로 뒤에(30초 거리) JR 역이 있고, 역 안으로 들어가자마자 바로 정면에 보이는 출구로 가면 오른쪽에 나가사키야가 보이고 횡단보도만 건너면 바로 갈 수 있다.

들어갈 때는 건물 정면 외부에 바로 보이는 거대한 계단으로 올라가지 말고 그 계단 아래에 건물 내부로 바로 통하는 에스컬레이터가 있다. 우리의 관절은 소중하니까 에스컬레이터를 타자 (2~3층 정도 되는 그 에스컬레이터를 타고 올라가면 입구에 바로 코인 로커도 있다. 2019년 기준).

Nagasakiya
Nagasakiya

7화: 부타동 판초 (元祖豚丼)

오비히로

혼자 여행할 때 받는 호의는, 왠지 평소보다 더
따뜻하게 느껴지는 것 같다.

다음날, 이 예상치 못한 지출 때문에 괴로워하게 됐지만 그날은, 당장의 배낭 속에 가득한 술과 안주에 그저 싱글벙글하며 나가사키야를 나섰다.

역 쪽으로 돌아오니 캠페인 하는 분도 더 늘어있었고 어김없이 나와 눈을 마주쳐 왔지만 어림없지, 나에게는 프리패스가 있어! 자연스럽게 머리를 쓸어 올리듯 아까 받은 전단지를 바람에 휘날려 보여주었다.

보세요, 전 이미 그 뭐시기 캠페인에 대해 설명 들은 사람이에요!

그렇게 가방 속은 인정 넘치게, 마음속은 여유롭게 채우고 마지막 목표 지점을 향했다.

홋카이도에서 제일 유명한 부타동 (돼지구이 덮밥) 집을 묻는다면 누구나 한 번쯤 언급하는 곳, 1933년에 부타동을 탄생시킨 원조 집인 부타동 판초. 그 판초가 바로 오비히로에 있다. 그것도 쇼핑몰과 나의 호텔 딱! 중간에 말이다(즉 버스터미널 근처에). 이미 홋카이도의 명물이 되어버린지라 다른 지역에도 부타동은 쉽게 먹을 수 있으니 굳이 가볼 생각을 안 했지만, 가는 길에 있으면 마다할 것 없지. 거기다 포장까지 된다면야! 가벼운 마음으로 나가사키야에서 출발하여 얼마 지나지 않아 판초에 도착했다.

(됐어, 자연스러웠어!)

그런데 판초의 입구는 내가 예상했던 포장 판매 위주의 도시락집이 아니라 세련된, 조금 비싼 일식당의 느낌이었다. 매장 밖에 유리 진열장과 창구가 있어서 거기서 주문받아 가져가는 일반적인 도시락집을 예상했는데 이건 식당이지 않는가!(생각해 보면 덮밥 식당인데 도시락집 매장을 생각했던 것도 이상하긴 하지만)

아무튼 나는 동네 분식집에서도 혼밥을 못하고 포장 주문할 때에도 동공 지진을 일으키는, 혼자 음식 주문하는 것에 대해서는 소심한 사람이란 말이다! 가격과 메뉴를 미리 안 보고 식당의 존재만 알고 온 나는 적잖이 당황하여, 소개팅에 나왔는데 너무나 이상형인 상대가 나타나 앞자리에 앉더니 이런 말씀, 죄송하지만 한 시간 뒤에 저 결혼해요.라는 말을 들은 사람 같은 벙찐 표정으로 입구 앞에서 멍을 때렸다.

그렇게 한 5분 정도 지났을까, 갑자기 문이 열리더니 양복을 입은 손님들이 와르르, 포장된 부타동을 들고 역시 부타동은 판초죠! 하며 즐거운 얼굴들을 하고 나왔다. 그러고는 상냥하게도, 입구에 서 있는 나를 보고 들어가려던 걸로 착각했는지 닫히려던 문을 잡아주었고 정신을 차려보니 안에 들어가 있었다.

어어, 이거 다시 나갈 수도 없고! 눈이 마주쳤는데! 아,

어떡하지!

당황해서 입구에서 쭈뼛거리고 있자, 눈이 마주친 할머니 직원 두 분이 웃으시더니 어서 오세요. 춥죠 하며 안으로 이끌어주셨다.

부타동 포장을 하고 싶다고 말하고 되는 동안 나가 있겠다고 했더니 화들짝 놀라시며 이렇게 추운데! 나가지 말고 자리에 앉아 기다리라며 말리셔서 앗, 어, 하이, 하이! (앗, 어, 네, 네!) 하고 얼빠진 답을 하고는 눈앞에 보이는 주방 옆자리에 앉았다.

(어색한 자리에서 손에 핸드폰 같은 게 없으면
손을 어찌해야 할지 모르겠는 사람)

왠지 모를 쑥스러움에 새빨개진 볼과 귀를 보시고 추위 때문이라 생각하셨는지, 아이고 저런 밖이 상당히 춥죠 하며 차를 내어주셨는데 차가 굉장히 뜨거웠다…

(정말 정말 많이 뜨거웠다...)

마시기도 전에 등허리에서 땀이 솟는 게 느껴졌지만

따뜻한 차니까 금방 몸이 따뜻해질 거야!라고 밝게 웃으시는 할머니께 뭐라 말할 수 없어 마주 웃어드리고, 이마에서도 솟아오르기 시작한 땀도 목도리를 벗는 척하며 닦고는 차를 최대한 조금씩 마시며 메뉴판을 보았다.

그런데! 부타동 단일 메뉴라고 하기에 크기만 결정하면 될 줄 알았더니 크기가 대·중·소로 적혀있지 않고 꽃, 매실, 이런 식으로 표기되어있는 게 아닌가. 일본의 송죽매 등급 구분법을 경험해 보지 못한 나는, 대체, 꽃과 매실과 돼지구이 덮밥의 관계가 무엇이기에!? 하며 퍼즐을 푸는 심정으로 한참 메뉴를 보다가 가격 차이로 보아 그것들이 사이즈 표기인 것 같고 양이 적고 저렴하면 혹시나 다 못 먹어도 아깝지 않겠지 하는 생각에 제일 싼 금액이 적힌 것을 주문했다. 할머니는 마츠가 맞냐고 재차 물으셨고 네 라고 하자 그제야 알겠다며 그럼 잠시만 기다려 달라고 하며 주방으로 들어가셨다(이 질문의 이유는 이 챕터의 정보 마당을 보면 알게 된다...) .

만들어 놨다가 포장해 주는 것이 아니라 주문을 받으면 바로 구워 주시는 건지, 부엌에서 달칵달칵하고 조리하는 소리가 들려왔다. 점심과 저녁 중간의 시간이어서인지 내부에는 손님이 거의 없었고 나처럼 혼자 온 듯한 손님들도 각자 자리를 잡고 앉아 식사를 하고 있었던 크지도 작지도 않은 매장은, 입구의 느낌과 동일하게 정갈하고 깔끔했지만, 그것은 현대식으로 꾸몄다기보다 오랜 세월, 깔끔하게 유지해 왔다는 느낌이 컸다. 부엌 입구의 직원 할머니 두 분의 도란도란 이야기 소리와 오래된 뻐꾸기시계의 작은 똑딱 소리가 어우러져 매장의 전체적인 분위기는 과하게 친밀하지 않으면서 적절히 단란하고 포근했다.

괜히 지레 겁을 먹었구나 하는 생각을 하며 내어주신 성의를 생각해서 뜨거운 차를 다 마셨더니 등허리는 땀으로 흥건해지고 엎친 데 덮친 격으로 따뜻했던 실내 온도에, 이마에도 땀이 흘러내리기 시작했다.

그러나 그곳은, 여러 겹의 담요로 꽁꽁 싸매져 너무 더우니 시원한 밖으로 나가고 싶지만, 동시에 굉장히 안전하고 포근한 기분이라 나가고 싶지 않은, 그런 상반된 기분이 드는 요상한 공간이었기에 꾹 참았다. 잠시의 시간이 흐른 뒤 완성된 부타동을 받아 들고 숙소로 향했는데, 갓 만든 부타동은 숙소에 도착해서도 한참 동안 따끈따끈했다.

맛에 대한 평가는 개인적 견해와 상황 등에 따라 다르겠지만 나는 매우 만족했고 더 큰 것으로 샀어야 했다며 다 먹기도 전에 후회했다. 고기 부분은 말할 것도 없고 비계 부분도 달큼하고 질기지 않아서 먹는데 거부감이 들지 않았던 만족스러운 한 끼였던 것 같다. 후에 삿포로

역에서 유명 체인점 부타동도 먹어봤지만, 비교가 안 되는 느낌이었다. 분명 둘 다 주문받은 시점에서 만들어 준 것이지만 체인점 쪽은 판초에 비하면 고기가 좀 말라 있는 느낌이었다고 할까? 판초 쪽을 먹어보지 않았다면 맛있다고 했을 테지만 판초의 부타동을 먹은 후인 나는 무조건 판초에 한 표를 더 던지겠다.

그리고 맛도 맛이었지만 우연히 여행 초기에 내 딱딱한 앉는 자세에 대한 버릇을 부쉈던 그 피로와 같은 격으로, 회사원들 덕분에 얼떨결에 해버린 혼자 식당에 들어가기, 그리고 거기다 테이크아웃 주문해 보기를 성공한 것이 매우 뿌듯해서 더 좋았던 것 같다. 그러니 후에 혼자 식당에 들어가기도, 가게 주인들과 일본어로 넉살 좋게 이야기 나누는 것도 겁나지 않게 되었다는 이야기는 대단치 않은 예고편이 되겠다.

정보 마당

판초에 대해 :

부타(돼지) 동(덮밥)은 로스에 비전의 소스를 발라 숯불에 구운 것인데, 1933년에 처음 이 메뉴를 개발한 원조 가게인 판초의 부타동은 특히 먹은 후에도 숯불의 향과 매콤달콤한 소스의 풍미가 입안에 남는 것으로 유명하다.

이곳의 메뉴 이름은 많이 먹고 싶은데 특대(도쿠모리)나 대(오오모리) 자를 주세요 라고 말하기 쑥스러워하는 사람을 위해, 배려 차원에서 다른 명칭으로 표기한다는 송죽매 시스템으로 되어있는데, 전부 밥의 양은 같고 고기의 수만 다르다.

하나는 8장, 1300엔(세금 포함)

우메는 6장, 1100엔(이하 동일)

다케는 5장, 1000엔

마츠는 4장, 900엔

보통은 마츠 타케 우메 식으로 마츠가 가장 고급이지만, 판초는 초대 여주인 이름이 우메여서 그녀를 위해 마츠가 아닌 우메를 위로 올렸다고 한다. 마츠(4장)도 밥과 충분히

양이 맞지만 일반적으로는 우메나 다케를 선택한다고 한다. 고기 단품으로 먹어도 많이 짜지 않고 소스가 맛있어서 밥 없이도 얼마든지 먹을 수 있어서가 아닐까, 싶다.

8화: 팥과 밀가루로 만든 핫 팩

오비히로

좋은 잠자리는 여행 중엔 특히 중요해.

평소에 내 건강 상태나 생활 습관은 정말이지 형편없어서, 서로 잘 알지도 못하는 각각의 친구들이 공통으로 나에게 묻는 인사에,

살아있느냐?

밥은 먹었느냐? 그리고

잠은 잔 것이냐? 가 필수로 들어갈 정도이다.

집에서 일을 시작해서 집에서 끝나는 프리랜서인지라, 일부러 운동을 하지 않는 날이면 하루 평균 걸음 수는 200에서 300 정도이며, 듬직한 겉모습과는 다르게 외출이라도 하는 날은 바로 앓아 누울만큼 얄팍한 체력에, 좀비가 된다면 먹이의 기척이 다섯 걸음만 멀어져도 굳이? 하며 쫒아가기를 포기하고 인간 관찰이나 하며 즐거워 할, 식욕도 많지 않고 식사의 우선 순위도 매우 낮은 사람이다.

그런데 여행을 가면,

유제품, 과일, 탄수화물과 단백질, 채소, 영양제를 포함한 아 침을 꼭 먹고,
점심 또한 적은 양을 먹더라도 거르지 않고 챙겨 먹으며, 중간 중간 충분한 수분을 섭취하는 것도 잊지 않는다.

과일
유제품
채소
탄수화물과
단백질
영양제

그리고는 천천히, 끝없이 걸으며 많은 것을 보고,
생각하고, 기록하고, 그림으로 그린다.
그렇게, 긴 산책같은 하루 일정을 마치고 숙소에 돌아오면
스트레칭을 하고 내일 준비를 마친 뒤, 되도록 일찍 잔다.

이 얼마나 바른 생활을 하는 프리랜서란 말인가.

이렇게 여행을 떠나면 건강해지는 여행 성 인간은, 오늘도 씩씩하게 오비히로의 마지막 날, 한 치의 오차도 없이 모든 준비를 마치고 체크아웃을 한 후, 짐을 리셉션에 맡기고나서 오늘의 목적지를 향해 길을 나섰다.

전날부터 느꼈지만, 차후에 방문한 다른 비슷한 느낌의 도시들과 비교해 봐도, 오비히로는 어딘가 건물들이 반듯반듯하고 깔끔하다. 쓰레기 하나 없이 깔끔하다는 느낌이라기보다, 마치 새로 쇼핑 아울렛 몰을 오픈했는데 홍보를 하지 않아, 가게들은 열었지만 손님이 없어 텅 비어 있는 느낌이라고 해야 할까. 그렇게까지 이른 아침은 아닌데도 도심 치고는 차도 사람도 거의 없어 그곳은 오로지 나 혼자 차지한 도시 같았다. 혹시 지금 인류가 모두 사라져 나 혼자 남은 건 아닐까?

이날 아침에 걸었던 거리의 건물 사이사이 공간이 특히 꽤나 넓어서, 그 틈새로 바다가 가까운 곳이 아님에도 매끈하면서도 무거운 겨울 바닷바람 같은 바람이 파도처럼 강하게 밀려 들어오는 느낌이라 더 적막한 느낌이 들었는지도 모르겠다.

건널목을 지날 때마다 들려오는 녹음된 광고 소리에 흠칫거리며, 만약 정말 나 혼자만의 도시라면 저쪽의

(한참 멋있어 보이고 싶어 할 나이)

편의점에 들어가 거기를 거점 삼고 이쪽에 보이는 세련된 핑크색 건물 내부를 탐험해야겠구만! 이런 실없는 생각을 하며 계속 걸었다.

10분 정도 거리라고 계산하고 왔는데 어째서인지 한 20분을 걸어 슬슬 지쳐갈 무렵, 목적하던 가게는 주택가에서 뜬금없이 나타났다. 노포라고 들어서 오래된 가게를 생각했는데 상당히 깔끔한 외관의 가게여서 마침 나오는 손님이 없었다면 일어를 읽지 못하는 나로서는 지나쳤을 것이다. 아니.. 우리 사이에 뭘 숨길까, 사실은 아까 15분 전에 가게 창문 앞에서 한참 배회하다 아닌 것 같아 멀리 갔다가 아까 거기 맞는 거 아니야? 하며 돌아온 참이었다. 도착과 구매까지 총 20분 걸릴 일정이었는데 도착만 35분이라니. 하지만 헤매는 시간, 멍때리는 시간, 그리고 늦장 부리는 시간을 고려해 총 여유시간을 1시간 빼놨으니 괜찮아.

가게 문을 열고 들어가자 포근한 공기가 훅 다가와 추위에 얼어 있던 얼굴이 금세 풀어져 뺨이 간질간질 해졌다. 달콤하고 몽글몽글하고 따끈한 가게 공기를 한껏 들이마시고는 미리 준비해 둔 금액을 건네, 팥과 치즈, 두 종류의 풀빵을 두 개씩 주문했다.

종이봉투에 아침에 갓 구운 풀빵을 넣은 것을 건네받고 가게를 나오는데 또 다른 손님이 스쳐 들어간다. 품 안에 풀빵이 따끈해서 헤실헤실 웃음을 지으며 나온 나처럼 방금 그 손님도 이따 나와 똑같은 웃음을 지으며 나오겠지 싶어, 또 웃음이 났다. 비슷한 음식을 접하고 자라온 동양인이라면 공감하지 않을까, 추운 겨울날, 달큼한 팥 같은 것이 꽉 찬, 쫀득하고 퐁실하게 구워진 따끈한 풀빵 봉지를 품에 안고 입김을 하아- 불면서 걸어가면, 그 기분은 서양식 빵을 안고 걷는 것과는 또 다른 느낌이 든다. 품 안이 유난히 따끈한 여행자는 유령 도시도 더 이상 무섭지 않다 이거야!

자, 이제 씩씩하게 다음 목표인 고구마 같은 고구마를 사러 가볼까.

정보 마당

후지모리 식당(레스토랑) :

1899년에 창업한 역사가 아주 오래된 레스토랑. 그야말로 부모의 손을 잡고 오던 어린이가 어른이 되어 이번엔 자신의 아이의 손을 잡고 올 만큼, 오비히로 주민들과 오랫동안 함께한 패밀리 레스토랑이다. 오비히로 역 근처에 있으며 오비히로의 대표 메뉴 격인 카레, 부타동을 포함하여 일식, 양식 등 다양한 메뉴들을 팔고 있다. 맛 자체는 눈이 번쩍! 할 정도는 아닌 듯 하지만 무슨 메뉴든 실패가 없고 주차도 편하다고 한다. 그리고 무료 멜론 소다 한잔이 기본 서비스.

인디언 카레 :

후지모리 식당의 카레 메뉴만 따로 판매하고 있는 곳으로 본점보다 더 유명해져 오비히로 = 인디언 카레라는 식으로 부타동과 함께 대표 음식이 된 곳이다. 쇠고기와 채소를 기본으로 하는 루에 다양한 토핑을 얹을 수 있으며 후지모리 식당과 함께 오랫동안 지역민들의 대표적인 맛의 카레, 즉 소울푸드가 된지라, 저녁 메뉴로 자주 사가는 집들이 많아서 가정용 냄비를 가져오면 카레를 담아주는 서비스도 하고 있다고 한다.

다카하시 만주야 高橋まんじゅう屋:

1954년 개업하여 꾸준히 사랑받는 과자점, 다카하시 만주야는 삼대째 주인이 大判焼き(오반 야키/왕 풀빵)를 팔고 있는 작은 가게이다. 수제 토카치 팥을 사용하는 쫀득한 풀빵을 팔고 있는데 차게 먹어도 맛있고 바로 구운 걸 먹어도 맛있다. 크게 달지 않고 자연스러운 단맛이 있는 팥 풀빵도 맛있고 짭짤하고 고소한 치즈 맛도 좋았다. 개인적으로는 치즈 맛이 끊임없이 들어갈 만한 맛이라 한 열 개 정도는 샀어야 했다고 매우 후회했다. 풀빵은 개당 120엔.

9화: 고구마 같은 고구마 주세요

오비히로

여행을 할 땐 평범한 일도 여러 겹의 낭만적인 필터가 씌워지는 것 같다.

이 곳은 정말 유령도시인 걸까. 10분째 걷고 있는데 본 것은 까마귀들 밖에 없다. 품 안의 풀빵이 내게 온기를 주는 건지 온기를 빼앗는 건지 여전히 식지 않는 것도 무서워지기 시작한다. 거기다 이쯤 걸었으면 나타나야 할 목적지도 보이지 않아. 왜지!

그렇게 조금 초조해하던 차, 갑자기 어디선가에서 세련된 옷을 입은 한 남자가 나타나 앞서 걷기 시작했다. 멋들어진 안경을 쓰고 코트 없이 검은 슈트를 입은 그는 빠른 걸음으로 골목을 쓱 돌아 먼저 사라졌고 몇 초 후 그 골목에 들어섰을 때는 앞서가고 있어야 할 모습이 보이지 않았다. 조금 걷자 테일러 샵 간판이 나타나서 아 여기 직원이고 가게 안으로 들어간 거였구나 생각이 들긴 했지만, 조금 낭만적으로 생각하여 헤매던 나에게 길을 알려주기 위해 나타난 이상한 나라의 검은 시계 토끼였다고 치기로 했다. 왜냐하면 그 직후에 드디어 목적지였던 고구마파이 가게를 발견 할 수 있었으니까.

고구마를 사용하여 고구마를 만드는 베이커리, 크랜베리 Cranberry. 가게의 문을 열자 훅 따뜻한 공기와 포근하고 달콤한 고구마 향이 반겨와 얼었던 볼과 마음이 느슨해 지는 것이 느껴졌다. 인기를 증명하듯 그 가게에 들어가자 꽤 많은 사람들이 상품을 구매하고 있었다.

크랜베리는 홋카이도에서 유명한 디저트 도시인 이곳, 오비히로에 본점을 가진 롯카테이, 류게츠와 더불어 오비히로의 3대장으로 불리는 곳으로, 고구마파이가 대표 상품이다. 크랜베리의 고구마 파이는 모양이 실제 군고구마처럼 생긴 것이 특징인데, 재미있게도 이름도 딱, "고구마(스위트 포테이토)"이다.

매장 내부는 생각했던 것보다 크지 않고 고객들이 많이 있어서 그랬는지 더욱 더 아담한 느낌이 들었다. 오면서 거친 바람에 흐트러진 머리와 옷매무새를 고치면서 구매 줄에 섰는데 판매하는 상품이 군고구마 모양이어서 일까, 어릴 적 겨울날 군고구마 아저씨 앞에 쪼로록 줄 서 있던 기억이 떠올랐다. 신문봉투에 가득 담아주는 껍질이 적당히 검게 탄 군고구마와 군밤은 기다리는 중에도 받은 후에도 따뜻하고 행복한 기분이 들게 해주었는데. 사르르 녹는 찐한 노란색의 군고구마 맛을 떠올리며 입맛을 짭짭 다시는 중에 드디어 내 차례가 왔다. 계산대에 준비했던 금액을 내밀고 고구마파이를 달라고 했다.

그런데 돌아온 답이 당황스러웠다. 블로그 후기에서 보고 간 것처럼 100g 단위로 잘라서 살 수 있는 것이 아니고, 400~600g의 파이 한 개를 통째로 구매해야 했다. 그래서 내가 건넨 200g 어치 돈으로는 파이를 살 수가 없다는 것이다. 다른 후기들을 찾아보지 않고 문제의 후기 하나만 보고 돈을 준비해 온 나는 순간 멍해져 굳어버렸다. 어제 소비한 것 때문에 비상금도 거의 없어졌으니 최대한 낭비 하지 말아야 하니까 고구마

파이는 조금 맛만 보는 것으로 만족하자는 마음으로 딱 200그램의 금액 밖에 챙겨 오지 않았기 때문이었다.

다음 가게에서 쓸 돈을 조금 꺼내거나 다른 메뉴를 사도 됐을 텐데 계획이 흐트러졌다는 생각에 머리가 잠시 기능을 정지했고, 하필이면 슬픈 눈을 한 채 굳어버린 탓에 내가 크게 절망한 것처럼 보였는지 직원은 안절부절못하며 미안해했다. 황급히 애써 괜찮다고 말하며 아무렇지 않은 척 서둘러 가게를 나왔다.

고구마파이를 못 살 줄 알았으면 풀빵을 더 살 걸 그랬네. 아침에 돈을 차근차근 나누어 풀빵 살 동전은 오른쪽 호주머니에, 고구마 살 동전은 왼쪽 호주머니에 담고, 오는 동안 꼭 쥐고 있던 뜨거운 동전을 설레며 건네던 아까의 내가 생각나서 씁쓸하게 손안에 그대로 남게 된 동전을 한참 굴렸다. 정말 많은 생각이 들어서었다. 2019년 겨울 당시에는 지금보다 더 수입이 불규칙한 무명의 프리랜서였지만 몹시 가난했던 것은 아니었다. 저금도 있었고 빠듯하긴 했지만 이렇게 여행도 올 정도였으니까.

즉, 그때 멍하게 굳었던 이유는 고구마파이를 살 돈이 없어서도, 시선이 집중되어 당황해서도 아니라, 바로 내 마음이 코너에 몰려 있는 상태였다는 것을 갑작스럽게 깨달았기 때문이었다. 나는 지금 저 작은 고구마파이 한 덩이만큼의 지출 계획이 틀어져도 잠시 굳어질 만큼, 갑작스러운 소비에 대한 스트

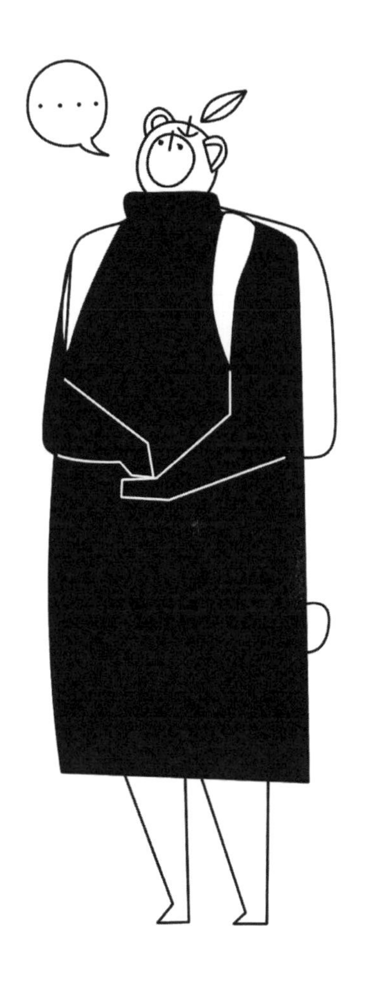

레스와 두려움이 있구나. 항상 스스로에게 괜찮아 나는 괜찮아 라고 했지만 정말은 아주 그런 건 아니었구나 싶었다. 다음 목적지로 걷는 내내, 성공이 약속되지 않은 꿈을 차마 놓지 못하고 불안한 프리랜서의 길을 이어가는 내 스스로가 어찌나 안쓰럽고 안타깝던지 걸을 때마다 고개가 푹푹 꺾여 내려갔다. 그 와중에 또 주변에 까마귀들은 또 어찌나 많은지 걸음걸음마다 깍깍 구슬프게 울고.

그렇게 한참을 까마귀를 거느리고 여러 생각을 하며 차가운 거리를 걷다가 문득 이런 생각이 들었다. 이로써 또다시 홋카이도에 와야 할 명분이 하나 더 생긴 게 아닐까? 그때는 언제 일이 끊겨 돈이 없어질까 두려워하지 않아도 되는, 좀 더 단단하고 안정적인 사람이 되어있으면 되는 거니까. 그때는 고구마파이도 사고 그 옆에 맛있어 보이던 다른 것들도 선뜻 살 수 있겠지!

그래, 그때는 쫀득쫀득하고 따뜻했던 다카하시 만주야의 풀빵도 또 먹을 수 있을 테지! 풀빵의 몽실몽실함을 떠올리자 우울함은 급속히 종료되었다. 그리고 이번에는 헤매는 일도 없이 금세 다음 목적지인 롯카테이에 도착했고, 그곳에서는 목표로 했던 사쿠사쿠 파이와 커다랗고 상큼하고 달콤한 딸기가 톡 올라간 보드라운 쇼트케이크를 살 수 있었다.

맛있는 거랑, 맛나는 거랑,

맛있을 거!(미래의 내 고구마파이)

(갑작스러운 소비에만 당황할 뿐, 사고 싶은 건 사는 사람.)

정보 마당

롯카테이 :

1933년 오비히로에서 시작한 베이커리로 1968년에 일본에서 처음으로 화이트초콜릿을 제조한 곳이기도 하다.

대표 상품은 1977년에 만들어진 마루 세이 버터 샌드이고, 지금은 홋카이도 대표 베이커리 중 하나로 관광지 어디에나 꼭 하나씩은 있는 인기 상점. 내가 2019년 3월에 방문한 곳은 오비히로 본점으로, 본점 한정 상품인 사쿠사쿠(바삭바삭)파이를 살 수 있었다(지금은 일부 다른 지점에서도 구매 가능). 매장도 넓고 깨끗했으며 편하게 케이크와 차를 마실 수 있는 공간과 건물 앞에 주차장도 마련되어 있다.

사쿠사쿠파이는 구매 후 3시간 안에 먹으라 했지만 일정상 반나절이 훌쩍 넘은 후에 먹었는데도... 이름에 걸맞게 바삭바삭해서, 이것만으로도 오비히로를 또 갈 가치가 있는 맛이었다.

ショートケーキ

19.03.14
サクサクパイ
パイ本来のサクサクした食感をお届けする為、作りだめはせず、クリームを絞りながら販売しています。
お買い求め頂いてから、できましたら
3時間以内にお召しあがりください。

10화: 기다림의 끝에 만난 풍경

오비히로 -> 아칸

여행 중에 외로울 때, 그건 같이 먹을 사람이 없을 때.

매우 객관적인 기준이긴 하지만 커스텀이 가능한 일식 카레를 먹으러 간다면 말이야, 카레 토핑 없이 기본 내용만 들어있는 수프 상태 하나만으로는 미완성이라고 생각해. 응당 그 겉은 깨끗한 기름으로 가볍게 튀겨 아삭 바삭한 고소한 튀김 옷에, 속은 탱글하면서도 촉촉하고 달콤한 새우살이 가득한 새우튀김이 올라가야 해. 절대 한 개는 안 돼. 두 개가 딱 적당해.

아니면 돈가스도 나쁘지 않아. 한입 베어 물면 사각사각하는 소리가 날 정도로 잘 튀겨진 튀김 옷에 입술을 타고 주륵 흘러내리는 육즙과 어우르지는 고기의 맛! 치즈도 있다면 당연히 치즈도 한 켠에 올려서 다양하게 맛봐야지. 그러고는 살그머니 올라오는 카레의 매운맛과 기름기를 가라앉힐 자잘한 얼음이 가득한 시원한 우롱차.

카레 가게가 아니라 패밀리 레스토랑에 간다면 역시 고소하고 부드러운 그라탱이나 진하고 깊은 데미그라 소스가 흐르도록 얹어진 육즙이 가득 찬 햄버거, 그리고 꼭 김이 모락모락 올라오는 새하얀 흰쌀밥을 같이 먹어야지. 마지막으로 이미 배가 불러도 얼마든지 들어갈 시원하고 달콤한 아이스크림과 상큼한 과일이 잔뜩 올라간 파르페.

하. 너무 좋은 조합이겠다..

입맛을 다시며 쇼핑센터 한 켠에서 이카소멘 (마른 오징어를

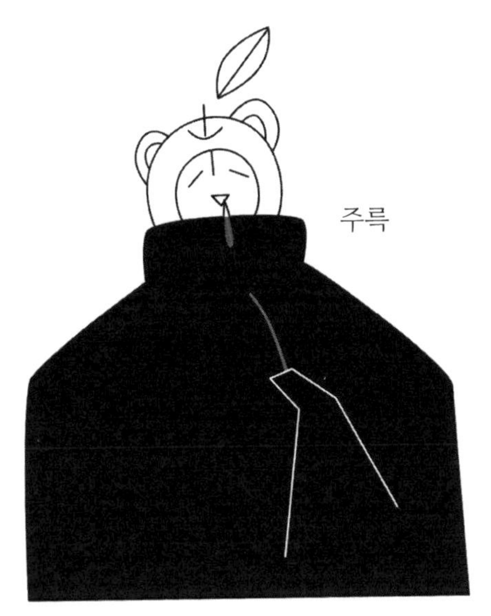

(음식 욕심 거의 없는 좀비 아니었어? 모순된 사람같으니.)

가늘게 썬 술안주)을 씹으며 그런 생각들을 했다.

파이와 풀빵을 사 들고 숙소에서 짐을 찾았을 때는 오전 11시 정도가 되었는데 다음 목적지인 아칸으로 가는 버스는 오후 2시였기 때문에 버스를 탈 때까지 3시간 정도의 여유 시간이 남은 상태였다. 원래는 나가사키야 쇼핑센터의 코인로커에 캐리어를 넣어두고 동네를 돌아다니며 지역민들에게 사랑받는 인디언 카레나 후지모리 패밀리 레스토랑에서 식사를 하거나 상업 거리 쪽 관광을 더 하려고 했는데 전날

써버린 5,000엔의 여파로 인해 지갑은 가난했고 가방은 당장 마시지도 못할 술병으로 배가 불렀다. 5,000엔을 예상치 못하게 써야 했던 상황이 왔을 때 이미 포기하긴 했었지만 그 후에 당장의 쾌락에 눈이 멀어 술과 안주를 엄청나게 사지 않았더라면 지금 눈앞에 아른거리는 저 음식들을 먹을 수 있었을 텐데 싶어 좀 아쉬웠다.

인디언 카레는 나가사키야에도 입점해 있기에 점 내에는 카레 향기(냄새가 아니다)가 계속 맴돌고 있었다. 어느 정도 토핑과 사이드를 포기하면 먹을 수는 있겠지만 든 것이 없어도 부피는 큰 27인치 캐리어를 들고 가기엔 불편함이 있어, 그냥 상상만 하며 계속 오징어를 먹었다. 음, 짭조름해.. 그래 이것도 나쁘진 않아.

전날의 윌리 웡카의 공장 같은 쪽이 아닌, 옷 가게들이 있는 (즉 가게 사이에 벽이 있어 직원들과 눈이 마주치지 않는) 곳에 자리를 잡고 그렇게 한 자리에서 2시간쯤 앉아있었을까?

계속 걸을 때는 생생했는데 멈춰 서 있으니 꾹꾹 눌러져 있던 피로가 눈가에 대롱대롱 맺히기 시작했고 여전히 손님보다 직원이 많은 백화점의 조용한 분위기에 졸음이 오기 시작해서 가방을 지지대 삼아 깜박 졸다 깼더니 어느새 버스가 올 시간이 가까워져 있었다. 서둘러 일어나

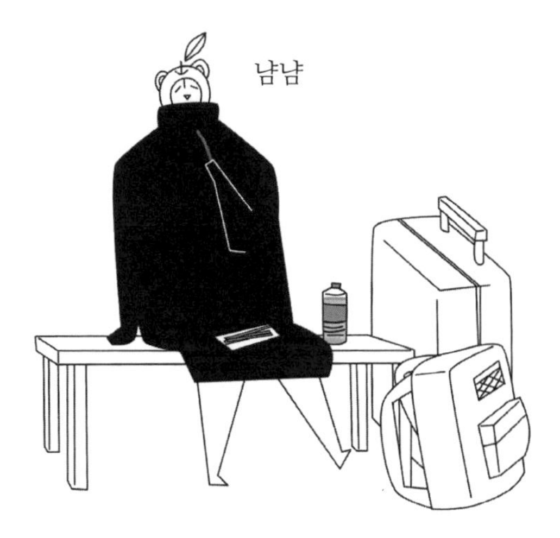

대낮의 백화점에서 오징어를 먹으며 하이볼
(물통에 넣으면 보리차 같다)을 마시는 사람

대낮의 백화점에서 오징어를 먹으며 하이볼을
마시다 조는 사람

캐리어를 끌고 뛰어갔는데 걸음마다 카랑카랑하고 캐리어 안의 술병 소리가 나서 좀 부끄러웠다.

다음 목적지인 아칸으로 가는 츠루가 호텔 송영 버스는 JR 오비히로 역 후문에서 직진하면 있는 토카치 플라자(とかちプラザ) 정류장에서 탑승할 수 있다. 나가사키야에서도 보도로 5분! 당일 구매는 안 되고 예약한 사람들만 명단을 확인 후 탑승할 수 있고 탑승 시에는 요금을 내지 않고 호텔에서 숙박비를 낼 때 정산한다. 원래는 온천 숙소가 너무 비싸서 당일치기를 하려 했으나 아칸 자체가 숲속에 있어 교통편이 나쁜 데다가, 오비히로에서 아칸으로 가는 루트는 드물기 때문에 조사를 한참 하다가 결국 1박을 하기로 하고 송영 버스를 예약했다.

아침에 돌아본 유령도시 같던 쪽과는 달리, 역 뒤 출구 쪽은 토카치 플라자를 포함하여 병원, 도서관 등의 큰 공공시설들과 오피스 같은 분위기의 곳들이 많은 도시 느낌이 나고 젊은 사람들도 많이 보였다. 여기서 대기하면서 안구와 정신건강에 해로운 커플들을 포함하여, 오비히로에 머문 2박 3일중 제일 많은 인구를 보지 않았을까 싶다.

버스가 도착할 시간이 되자 삼삼오오 사람들이 몰려들기 시작했고 차례로 줄을 서 버스에 탑승했다. 그런데 버스에 올라 푹신한 의자에 감싸져 있으려니 다시 며칠간 쌓인 피로가 몰려오기 시작했고 너무 푹 잠들 것 같아서 나는 필사적으로 눈에 쌍꺼풀을 새겨가며 버텨야 했다.

아.. 나는 왜 아까 하이볼을 두 캔이나 마신 걸까.

전에 말했다시피 나는 재난급의 코골이를 하기 때문에 이대로 잠시라도 졸았다간 여행에 들뜬 다른 승객들의 두근거리는 온천여행의 시작을 망치게 될 것이 뻔했다. 마치 등을 타고 차가운 뱀이 스르륵 올라오는 것 같이 오한이 나고 체온이 훅 떨어지는 것이 느낄 정도로 졸음이 걷잡을 수 없이 밀려왔지만 어떻게든 잠을 깨어보려 계속 글을 쓰거나 뺨을 때리거나 음악을 듣거나 뺨을 때렸다. 사각지대라 내가 안 보인다고 해도 이렇게 나 자신을 학대하는 상황이 벌어질 줄은 몰랐는데. 그렇게 5분에 한 번씩 졸음을 쫓기 위해 뺨을 때렸다. 이것이 여행 방송이라면 정말 좋은 그림이 나왔겠지.

진짜 저렇게 뺨을 때린다고? 대본인가?

아니요. 내 뺨이 얼얼한 걸 보니 이건 실제 상황이오.

아칸까지의 운행시간은 3시간. 버스가 오비히로를 벗어나 아칸에 진입하던 4시 40분경, 드디어 기다리던 그 풍경과 마주하여 마법처럼 졸음이 달아나기 전까지의 기나긴 잠과의 처절한 사투는, 내가 메신저로 나에게 보내기

기능을 사용하여 남겨둔 기록을 보면 잘 전달될 것 같다.

오후 2:09 은율 버스비는 숙박비 낼때 내는것이었다

오후 2:30 은율 빳빳허게 앉고 느슨하게 앉은걸 ㅁㅎㅅ햠ㅅ는데 해내겐히었고 틈이 나는데로 눈을 감고 쉬었다 꽉 끼던 바지가 헐렁하져 계속 내려가 허벅지를 쓸었다

오후 2:48 은율 눈뜨고 코고는 기뷴 지금 내가 코를 골 고 있는지도 느껴지지 않울 정ㄷㅎ의 비현실적인 느낌

오후 2:49 은율 나는 지금 분명 눈을 뜨고 타자를 치고 있는데도 코골고 있는것같웅 읔김이다

오후 2:53 은율 코골고 있는지 안닌지 확신이 서지 않는다

오후 3:15 은율 립쿠림

.

.

.

.

.

.

.

.

.

오후 4:40 은율 나무들이 양 옆으로 거대해ㅛ고 잎을 달지 않은 나무는 우웃ㅈ빛이다 마치 동화속같다

오후 4:41 은율 위햄해 왠지 눈물 날것 같아

.

졸음에 지지 않으려고 뺨을 찹찹 거리던 내 귓가에 갑자기 와, 하고 작은 탄성들이 들렸다. 그 소리에 깨어있다 생각했는데 역시나 졸고 있었던 나는 크으렁 하는 짧은 코골이와 함께 무거운 고개를 들었고, 그대로 내 시계(視界)는 순식간에 마법처럼 흰색으로 뒤덮였다.

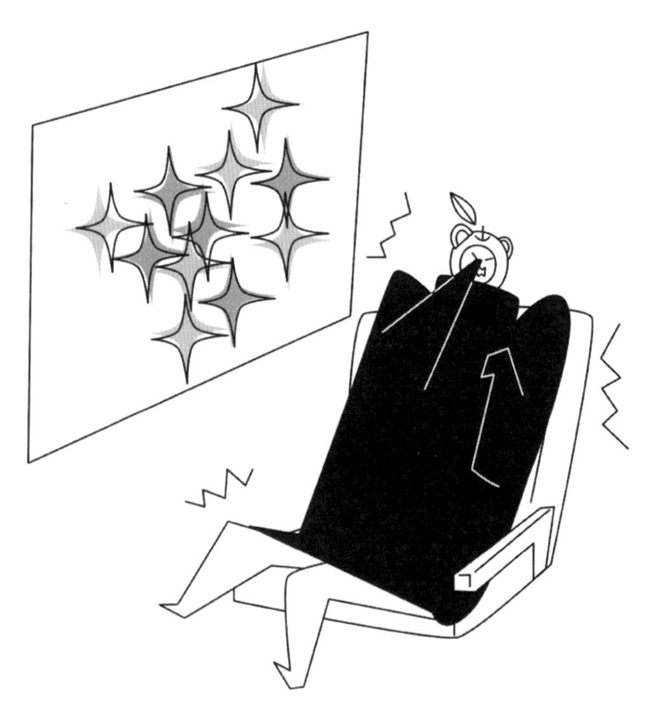

(갑작스레 색이 변해 눈이 시려 괴로웠으나
코 골다 깬 직후라 사람의 언어를 하지 못했다.)

눈!

눈이다!

온통 눈!

마치 아무 생각 없이 옷장을 열었는데 눈 나라가 있는 어느 판타지 소설처럼, 도시는 사라지고 버스는 어느새 고운 쌀가루 같은 눈이 흩날리고 있는 거대한 동화 속 숲길을 달리고 있었다.

굽이굽이 산을 타고 올라가던 버스 앞으로 거대한 숲이 펼쳐져 있었고 어느 방향으로 시선을 돌려도 그곳에는 있는 것은 단 두 가지 색뿐. 바로 영원히 계속될 것 같은 순백의 눈과 회갈색 나무의 나열이었다. 버스 아래로 가파르게 떨어지는 깊은 숲의 모습은 압박감을 느낄 정도로 규모가 어마어마해서 나도 모르게 헐떡였다.

버스 안에 있는데도 조난을 당할 것 같은 거대한 눈의 나라!

여행 3일째 되어서야 정말로 마주친 것 같은 그림 같은 설국!

(비염이 살짝 있는 편)

내게 산을 자유롭게 달릴 수 있는 딱딱한 발바닥과 튼튼한 네 다리가 있다면, 떨어지는 눈이 쌓이지 못할 만큼 빽빽한 털이 덮인 풍성한 꼬리가 있다면, 그러니까 내가 당장 여우로 변할 수 있는 재주가 있었다면 나는 결국 흥분을 감추지 못하고 저기요, 버스를 세워주세요! 하고 외치고 나를 진정시키려는 손

(야성을 깨우는 자연의 거대함!)

님들이 방심한 틈을 타 작은 창문 틈으로 뛰어내려 숲길을 숨이 찰 때까지 달렸을 것이다.

여기가 어디쯤인 걸까 하고 지도를 켜봤지만 깊은 산중이라 그런 것인지 인터넷이 계속해서 서비스 안 됨이라고 뜨는 바람에 위치를 알 수 없어서 그냥 핸드폰을 내려놓고 어떠한 정보도 없이 순수하게 풍경을 마음껏 즐겼다.

그렇게 즐거운 드라이브 코스를 한참 달려 버스가 드디어 도착한 곳은 눈에 포옥 잠긴 호숫가의 작은 온천 마을, 마리모와 홋카이도 아이누족들의 마을, 아칸이었다. 홋카이도 동부의 호수인 아칸 호수는 화산 폭발로 생긴 칼데라 호수로, 이웃해 있는 굿샤로코 호수와 마슈코 호수와 더불어 홋카이도의 3대 칼데라 호수이다.

아칸 호 아래쪽 강가에 형성된 아이누족의 마을은 그들의 전통문화와 온천을 만끽할 수 있는 대표 관광지 중 하나이며 아칸 마슈 국립공원이 인접해 있어 곳곳의 전망대를 통해 화산과 호수, 숲과 산이 어우러진 자연을 감상할 수 있다.

그리고 이 아칸호가 바로 한국에도 인기를 끌었던 동그란 모양의 마리모가 자라는 곳이다. 사랑과 행운을 가져다준다는 마리모, 그리고 전 세계에서 유일하게 커다란 공 모양을 형성하는 마리모가 살고 있는 마을, 아칸. 차 없는 뚜벅이로서는 이동 방법이 복잡하고 오래 걸리며 숙박비도 싼 이 마을을 일정에 집어넣은 이유는 단순했다.

낭만적이니까.

버스는 마을 입구를 지나서도 한참 비탈길을 올랐다. 예약한 숙소는 아칸호 온천 체인인 츠루가 호텔 중 제일 비탈길에 있

(다음엔 돈도 있고 낭만도 있었으면 좋겠다)

는 리조트 하나유카. 이 숙소는 위치는 좋지 않지만, 송영버스를 이용할 수 있는 츠루가 호텔 1인실 중 가장 저렴하고, 마리모의 모든 것을 알 수 있다는 아칸 호숫가 에코 뮤지엄이 가장 가깝다! 또한 숙박객이라면 같은 체인 호텔들 사이를 다니는 무료 셔틀버스를 타고 다양한 종류의 온천이 있는 5성급 호텔의 대 욕탕까지도 자유롭게 사용할 수 있었다.

오비히로부터 타고 온 버스는 츠루가 호텔들을 차례로 들렸다가 맨 마지막에 하나유카 앞에서 멈추었고 안내에 따라 바로 체크인을 할 수 있었다.

일정이 짧으시네요.
1박 숙박이시군요.
그래도 밤 늦게까지 대욕장까지 셔틀버스가 있으니 온천을 즐기실 수 있을거예요!

아니요
저는 마리모를 보러 온거라,
온천은 뭐..
갔다와서 시간 남으면 가구요.
오늘은 쉬고
내일 아침에 에코 뮤지엄에 가려고요!

...?
손님,

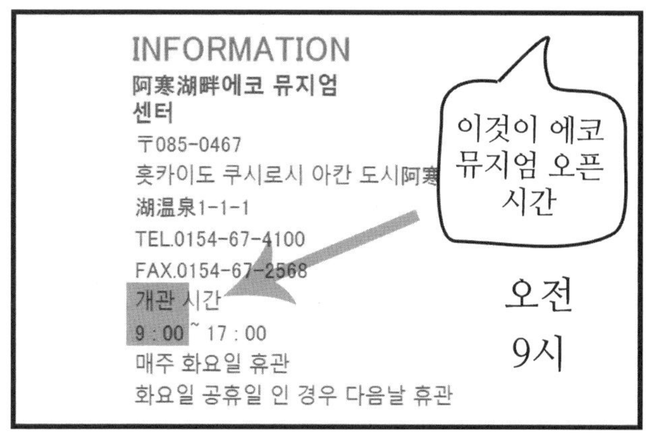
INFORMATION
阿寒湖畔에코 뮤지엄
센터
〒085-0467
홋카이도 쿠시로시 아칸 도시阿寒
湖温泉1-1-1
TEL.0154-67-4100
FAX.0154-67-2568
개관 시간
9 : 00 ~ 17 : 00
매주 화요일 휴관
화요일 공휴일 인 경우 다음날 휴관
이것이 에코 뮤지엄 오픈 시간
오전 9시

여기는
아칸
손님이
탈 버스는
아바시리행

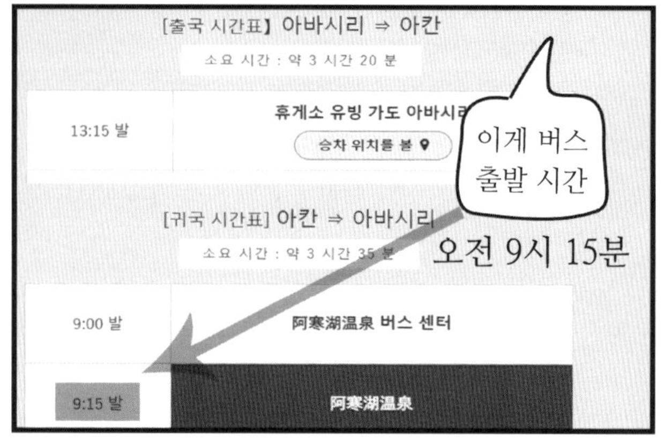
[출국 시간표] 아바시리 ⇒ 아칸
소요 시간 : 약 3 시간 20 분
13:15 발
승차 위치를 봄
이게 버스
출발 시간
[귀국 시간표] 아칸 ⇒ 아바시리
오전 9시 15분
9:00 발
阿寒湖温泉 버스 센터
9:15 발
阿寒湖温泉

아

아아아아아
아아아아아....
아아아..

야칸 일정 계획은,

숙소에 도착한 날은 도착 시간이 오후 5시, 즉 편의점을 제외한 모든 시설과 상점이 닫으니 이날은 휴식.

다음 날 버스가 1시이니 아침에 아이누족 상점들과 에코 뮤지엄에서 거대 마리모를 보기. ..였는데... 시간표를 반대로 보고 온 바람에 그 어느 것도 불가능하게 되어버렸다. 나는 적지 않게 당황해서 동공이 마구 흔들렸고 호텔리어님도 자주 겪는 상황이 아니었는지 덩달아 당황해서 동공이 마구 흔들렸고 한 2~3분을 그렇게 우리는 아.. 아이고 허어 이런.. 하며 대화를 이어가지 못했다.

마리모 에코뮤지엄을 목표로 먼 길을 오고 큰돈을 쓴 건데 이런 어처구니없는 실수를 했다니. 하지만 낮에 이미 고구마 파이의 절망을 겪어보았던 나는 객실에 짐을 풀고 오비히로 롯카테이에서 사 온 사쿠사쿠 파이를 먹으며 빨리 털어버렸다.

즐길 시간도 아쉬운데 우울해할 시간이 없지.

또 오면 돼!

짐을 대충 풀고 어느새 어스름해진 눈 마을로 나갔는데, 가게들도 다 닫았고 손님들도 대부분 셔틀버스를 타고 대 욕탕만 왕복해서인지 거리에는 사람이 거의 없었다. 나도 온천욕을 하러 갈까 하다가 다음에 와서 제대로 즐길 거니까 다음에 하기 힘든 걸 해볼까 싶어 일단 밖으로 나가 걸어보았다.

인적이 드물 긴 했지만 다들 내부에 있을 뿐이고 워낙 작은 마을이라 위험한 느낌이 들지 않아 요즘 세상에는 쉽지 않은 여자 혼자 밤 중 산책을 마음 편히 할 수 있었다. 마을을 가득 채운 눈은 사람의 발자국이 안 찍힌 곳들이 더 많아서, 눈 위에 신나게 발자국을 새기다가 두터운 눈 위로 점프를 했다가 드러누워 굴렀다가 하면서 오밀조밀한 마을을 마음껏 탐험했다.

눈밭에 멍멍이처럼 마을에서 혼자 한참 뛰놀다 보니 어느새 아칸 호숫가에 도착했는데, 어째서 호숫가인지 몰랐는가 하면, 호숫가 부분에만 있는 나무들이나 선착장을 제외하면 마치 풀장에 비닐 덮개를 덮어 놓은 것 마냥, 길과 구별이 안 될 정도로 눈에 덮여 있었기 때문이었다. 그런데 또 하늘은 밤인데도 어째서인지 새파래서, 마치 하늘과 호수가 바뀐 것처럼 보였다. 무서웠지만 평화로웠고 추웠지만 따뜻한 풍경이라, 개가 되어 한참 뛰놀아 후끈해진 몸이 식어 콧물이 나와도 움직이고 싶지 않아, 한참을 서서 감상했다.

다음엔 온천 하러 갈게요

정보 마당

츠루가 호텔 버스 정보 :

https://www.hanayuuka.com/access/bus.html 아칸으로 가는 셔틀버스는 이곳을 통해 예약했다. 츠루가 호텔 투숙객이면 편도 1,000엔에 이용이 가능하고 투숙객이 아니면 두 배 정도로 가격이 비싸며 불가능한 노선도 있다. 삿포로/치토세 , 오비히로 , 오호츠크(아바시리 방면), 구시로를 왕복할 수 있으며 이번에 내가 이용한 것처럼 한 곳으로 다시 돌아가는 게 아닌 다른 지역으로의 이동 역시 가능하다. 호텔을 예약하고 예약 번호와 함께 위 홈페이지 주소의 예약 양식을 눌러 신청하면 끝.

帯広 阿寒湖温泉
まりも急行
帯広号
網走観光交通
バスのりば
とかちプラザ前
Tokachi Plaza mae
十勝バス
まりもエクスプレス
阿寒湖温泉行
14時05分発

まりも急行
網走観光交通

11화: 마리모네 아침밥

아칸

혼자 여행은 외롭지만, 그 대신
내가 걷고 싶은 속도로 걸을 수 있어

그 겨울에 나는 한참 환상 소설들을 읽고 있었다. 그래서 여행 중에 쓸쓸해질 때면 마치 환상 소설 속 인물이 된 듯, 그때마다 상상 친구를 만들어 내 대화 하곤 했는데, 그 친구는 입이 뾰족하고 풍성한 꼬리를 가진 산호색의 작은 여우 였다가, 꾸준히 나의 풀빵을 노리며 걸음 걸음 따라오는 까마귀였다가, 빠르게 달리는 열차 창 밖으로 감탄 스러운 풍경이 스쳐 지나갈 때, 함께 놀라워해 주고 바로 사그라져 사라지는 아주 얇은 사탕 같은 날개를 가진 나비 떼이기도 했다.

하지만 왠지 으스스한 기분이 들 것 같아서 이제까지 한 번도 사람인 적은 없었는데, 이날 아침의 친구는 필수적으로 사람, 그 외는 있을 수가 없었다. 왜냐하면 아침에 숙소 창문을 열자마자 나오는 그 이름을 도저히 참을 수 없었기 때문이다.

엘사?!

날은 밝았지만 매우 이른 새벽 시간이라 아직 켜져 있는 노란 가로등 불빛이 고요한 거리를 밤사이 덧씌워진 눈과 함께 아스라이 채우고 있었고, 한 뼘은 됨직한 솜이불같이 도톰한 눈덩이가 나뭇가지에서 투둑 하고 떨어지는 두터운 소리만이 간간히 울리고 있는, 설국의 정석 같은 아칸의 아침 풍경이었다. 열린 창으로 고운 눈가루가 섞인 바람이 사락거리며 날아왔지만 밤사이 데워진 따끈한 방안의 공기는 쉽게 차지지 않아서, 얼굴을 내밀고 창밖에서 춤추는 엘사를 보는 내내 등을 노곤

(엘사? 두유 워너 빌드 어 스노우 맨?)

하게 덮어주었다.

좀 더 문을 연 채로 오래 창밖 풍경을 만끽하고 싶었기에 몸이 식지 않도록 따뜻한 차를 만들기로 했다. 방 한 코너에 준비된 포트로 물이 끓는 동안 바라본 창가는 전체적인 방의 톤 때문인지 왠지 80년대의 필름 카메라 속 같았다. 동시에, 이 료칸

방은 오직 나 혼자인 듯 확고하고 고요한 내 영역이지만 문을 열고 나가면 사람 냄새나는 따뜻함이 보장된 곳, 코끝은 시린데 바닥은 데일 듯 보일러를 틀어주는 저녁 시간의 독서실 같은 분위기가 있었다. 장기 투숙객이 되어 작업을 하면 집중이 잘될 것 같아 라고 생각을 하며 (특히 글이나 시나리오) 풍경을 만끽하며 천천히 차를 마셨다.

오늘은 아침 9시에 아바시리로 이동하는 버스를 타야 해. 차를 마시며 어제 세워 둔 계획을 머릿속으로 되새김해 본다. 방에 돌아왔을 때 바로 내려갈 수 있도록 짐을 미리 싸 두고, 숙박 패키지에 포함된 조식을 먹고, 기념품 상점엘 들렀다가 버스 시간까지 아침 산책을 하자. 어때 엘사, 완벽한 계획이지 않니!

(엘사 : 너의 땡땡 부은 얼굴 빼고.)

저녁으로 라면과 짠 과자와 술을 마시고 바로 자서 밤새 부쩍 도톰해진 얼굴을 조물거리며 서둘러 조식 식당으로 향했다. 일찍 움직이려고 6시 45분, 오픈 시간을 맞추어 내려왔는데도 단체 손님이 많아서인지 이미 줄을 서 있었다. 혼자 식사는 아직 너무 불편했지만 이미 값도 치렀고, 뷔페식이긴 해도 료칸의 조식은 처음이라 맛보고 싶었기 때문에 용기를 내어 보기로 했다.

다행히도 극에 달한 어색하고 긴장한 마음은 오히려 초인적인 능력을 발휘하게 해주어서 식당에 들어가기 직전에 표를 확인하는 1초가량의 순간에 마치 카메라 셔터 누르는 것같이 찰칵찰칵 소리가 들릴 정도로 빠른 속도로 눈을 굴려 최적의 자리를 찾아낼 수 있었다.

(날 보고 있는 듯 날 보고 있지 않는 손님)

그것은 바로 창가 자리이자 코너에 있는 2인용 식탁, 즉, 벽을 보고 앉으면 식사하며 눈부신 아침 풍경을 감상할 수 있는 동시에, 음식을 먹으며 한없이 풀어질 표정을 벽과 나만의 비밀로 둘 수 있는 완벽한 자리였다.

뷔페의 규모는 익숙한 음식들부터 처음 보는 다양한 음식들까지 종류가 상당했고 모두 신선하게 준비되어 있었다. 나는 우선 요구르트와 바나나, 콘스프, 우유, 버터롤, 미니 돈가스, 미니 햄버거, 슈마이, 감자조림, 달걀부침, 샐러드, 아이고 많다..그리고 볶음 국수, 미트볼, 조금의 절임 반찬… 등, 준비된 것의 한 1/5종 정도를 덜어왔다.

그중 재미있었던 게 마리모 젤리인데, 실제 마리모같이 생긴 젤리와 과일 맛 푸딩을 합쳐 만든 것으로 보였다. 맛 자체는 평범했지만, 선물용으로 좋아 보여 사고 싶었지만 기프트숍에서는 아쉽게도 팔지 않았다.

식사를 한차례 끝내고 두 번째 접시를 채워올 생각도 잠시 들었지만, 어느정도 배도 부르고 너무 천천히 먹었는지 어느새 사람들이 홀에 가득해서 서둘러 자리에서 일어났다. 이른 시간이지만 호텔 내의 상점이 오픈해 있어서 그 지역 온천의 입욕제와 선물들을 사기로 했다. 그리고 여기 온 목적 중 하나였던 마리모도 사야 해! 마리모 자체는 삿포로 공항이나 다른 지역에서도 꽤 쉽게 찾을 수 있었지만, 아칸에서만 파는 전통 공예 느낌의 나무 뚜껑이 달린 것은 여기서 밖에 못 본 것 같아 다시 생각해 봐도 좋은 선택이었던 것 같다. 여행 하는 내내 돌보느라 조금 번거롭긴 했지만, 매일 아침과 저녁, 다녀올게 다녀왔습니다 하고 인사할 여행 친구가 되기도 했고 말이다.

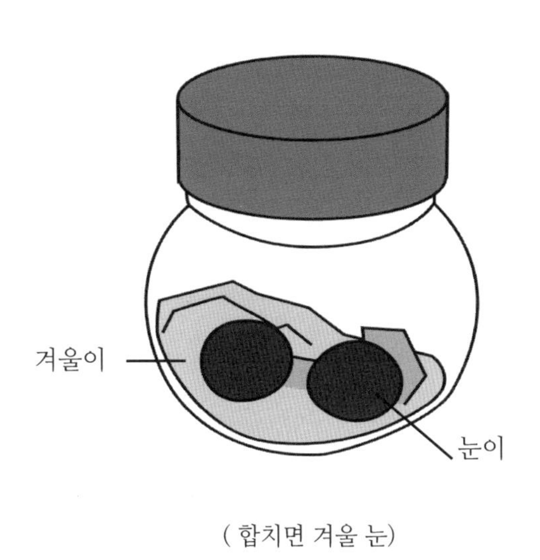

(합치면 겨울 눈)

한차례 쇼핑 후 짐을 정리해 로비에 맡기고 아침 산책을 나섰다. 가자 엘사!

체크인 카운터 맞은 편(조식 식당 옆)에 있는 후문을 열고 나가자 강렬했지만 벨벳 같은 눈바람이 귀를 스쳐갔고, 나는 눈밭에서 잔뜩 구를 생각에 즐거움으로 한껏 부푼 볼을 파르르 떨며 작은 비명을 질렀다. 어젯밤 화려한 불빛 아래로 반짝이던 눈밭은 아침 햇살 아래서는 마치 막 뽑은 백설기에 반짝이 필터를 얹은 듯, 또 다른 매력을 뽐내고 있었다.

(맛있겠다!! 맛있겠는 눈이다!)

그리고 흥에 겨워 발밑을 제대로 안 보고 힘차게 발을 내딛은 나는 그대로 마치 무대에 등장하듯 양팔을 벌린 채 1.7미터 정도를 미끄러졌다.

(됐어, 이걸로 이번 편의 개그 부분은 충족이 되었어)

이 마을을 일찍 떠나는 것에 대해 미련을 버리게 한 부끄러운 나의 포즈를 주섬주섬 다시 조립하여 아무 일도 없었다는 듯 호숫가를 계속 산책했다. 쪽팔린 일을 겪었을 때는 안 쪽팔린 척하면 덜 쪽팔리는 법이니까. 아마도.

아침에도 여전히 아름다운 호숫가에 어젯밤엔 어두워서 안 보이던 알록달록한 것들이 있어서 보니까 꽁꽁 언 아칸 호 위로, 아칸 호 엑티비티 프로그램 참가자들로 보이는 알록달록한 두터운 외투를 입은 사람들이 우르르 호수 위를 걸으며 즐거운 웃음소리를 내고 있었다. 그 모습을 한참 훈훈하게 바라보다가 어젯밤 모두 잠든 마을을 몰래 쏘다니는 한 마리의 고라니처럼 노닐던 상점가로 향했다.

새벽 시간 일찍 일어난 사람들은 대부분 식당에 있고 그 외엔 모두 아직 잠들어 있어 거니는 사람 하나 없는 새하얀 작은 거리는 고요했다. 아직 열지 않은 이 가게들이 불을 켜고 문을 여는 것을 이번에 나는 보지 못하고 떠나겠지. 수십 번 같은 곳을 찍고 바라보아도 만족이 안 되는 아쉬운 순간들, 눈에 담아지지 않는 현 시간에만 존재하는 감각들을 느낄 시간이 너무나 조금인 게 아쉬웠다. 이번 여행에서는 이런 순간들을 매번 마주해야 했고 그래서 매번 나는 즐겁다가도 조금 슬퍼지곤 했다.

정보 마당

아칸호 아이누 민족 :

아칸코 아이누 코탄. 이곳에는 지금도 200명의 아이누족이 생활하는데 이것은 홋카이도 내에서도 최대 규모라고 한다. 이 온천 마을에서는 그들의 다양한 민속 수작업 작품들을 구입할 수 있고 유네스코에 등록된 전통 의식도 관람 가능하다.

츠루가 하나 호텔 :

홋카이도는 다른 지역보다 음식 재료 자체가 맛있어 음식이 맛있다고 하던데, 정말 그런 지는 다음 숙박시설의 조식을 먹어보면 결론이 나겠지만 일단 하나호텔의 조식은 전체적으로 간도 너무 세지 않았고 재료 자체가 진한 맛도 나서 맛있었다.

늦은 시간까지 운영하는, 본관의 대 욕탕까지 가는 셔틀버스와 (계속 언덕길이긴 하지만 충분히 걸어서 갈 수 있는 거리이기도 하다.) 가격 대비 훌륭한 조식을 생각하면, 혼자 온다는 가정하에 또 묵을 것 같다.

여기도 본관과 마찬가지로 저녁에는 계절에 따라 대게 코스나 개인실도 있는 걸로 알고 있는데 최신 정보는 https://www.hanayuuka.com/cuisine/ 이곳을 참고하면 될 것 같다. 건물 내부에 기프트 숍도 있어서 이른 아침에도 충분히 쇼핑을 할 수 있었다. 마리모를 포함하여 나중에 공항에서는 구할 수 없는 지역의 온천의 입욕제도 팔고 있어서 선물을 구입하기 좋았다.

12화: 호수에서 항구로

아칸 -> 아바시리

마음에 드는 풍경을 발견하여 찍어야겠다 싶어
카메라를 들면, 이미 늦어버려.

오전의 긴 산책 후 체크아웃을 하고 료칸 호텔에서 운영하는 아바시리 행 버스에 올랐다. 그런데 왜 멋진 순간들은 자꾸 카메라를 내린 순간 등장하는 걸까.

버스 창밖으로 이어지는 파란 하늘과 하얀 눈밭이 마치 캔디바같이 시원하고 상쾌한 아침의 설원 풍경을 한참 촬영하다 배터리가 걱정되어 잠시 끄면, 꼭 그 순간에 좋은 피사체들이 지나가 버렸다. 눈 위에 총총 여우의 조그마한 발자국이 달려간 흔적을 놓친 건 참았는데, 설산 자락에 홀로 서 있는 사슴 한 마리와 눈을 마주친 순간을 붙잡지 못하고 스쳐 가야 했을 때는 나도 모르게 탄식을 해버렸다.

만약 내가 차를 몰고 여행 중이라면 잠시 멈추어서 찍고 갔을 텐데, 면허 없는 뚜벅이 여행자 신세라 참 답답하네. 그냥 마음을 비우기로 하고 아예 핸드폰을 가방에 넣어버리고 눈을 감고 쉬면서 다음 목적지에 대해 생각했다.

아칸에서 차로 2시간쯤 달리면 만날 수 있는 아바시리는 홋카이도 동북부의 항구 도시로, 오호츠크해와 맞닿아 있으며 기본적으로 온도가 낮은 홋카이도 내에서도 꼽을 만큼 추운 곳이라, 메이지 시대에는 이곳에 있는 아바시리 형무소에 수감 되면 더 이상 살아 돌아오지 못한다는 이미지를 까지 있었다고 한다.

또한 아바시리는 러시아의 시베리아 강과 인접해 있기 때문에 추운 날씨로 인해 생긴 유빙이라 불리는 얼음 장판이 해류를 따라 떠내려오는 장소여서, 그것을 가르며 바다를 달리는 관광용 선박인 오로라호 유빙 선을 탈 수 있는 곳이기도 하다.

원래는 일본의 최북단인 왓카나이부터 오로라 쇼를 볼 수 있는 우토로까지 가려고 했지만 비용 문제로 포기하고, 이번 여행 중에는, 두 지역의 중간 지점이며 그나마 이동이 쉬웠던 아바시리만 들르기로 했다.

오기 전 조사한 바로는 관광시설이 상당히 잘 운영되고 있고 이동 등 시스템화도 잘 되어 있어서, 앞서 방문한 오비히로 정도 혹은 그 이상은 붐빌 거라고 생각했는데, 생각했던것보다 많이 한적했다.

버스에서 내리면서도 여기가 도착지가 맞는지 다시 물어볼 정도로 아바시리 도시 초입은 비어있는 느낌이었다. 전체적으로 넓은 부지에 건물들이 듬성듬성 있는 느낌에다 눈이 가득 쌓여 있어서 더 그랬을까? 소리마저 눈더미에 먹힌 도시는 적막 그 자체였다.

어제는 판타지 세계의, 요정들이 나올 것 같은 설국에 있었다면 오늘은 어딘가 미스터리 추리극이 일어날 것 같은 설국으로 온 느낌이라 오히려 두근두근하군.

버스 하차 장소에서 호텔이 가깝긴 했지만, 더 가까운 20초

(하지만 두근두근하고 있기엔 너무 춥고 배고프군..)

거리에 패밀리 레스토랑이 있어서 들어가 보기로 했다.

이제 나도 혼밥 쯤은 할 수 있어! 이 김에 첫 일본식 패밀리 레스토랑 체험을 해보자고! 조금 긴장하긴 했지만 직원분의 물 흐르는 듯한 완벽한 안내 덕분에 무사히 착석했다.

그리고서 왠지 일본식 패밀리 레스토랑에 오면 먹어야 할 것 같은 햄버거 스테이크와 고로케를 한 조각씩과, 웬만해서는 실패가 없는 메뉴인 카레를 주문했다. 메론 소다나 파르페 같은 것도 시켜보고 싶었지만 거기까지는 배 면적에 비해 초라한 위장이 버티지 못할 것 같아 참았다.

(배가 크면 위장도 커야지 억울하게 살만 가득한 꽃게 같은 나)

따뜻한 실내 공기에 양 볼이 조금 녹자, 긴장했던 마음도 진정되어 주변의 소리들이 귀에 들어왔다. 소소한 일상 이야기, 안부 이야기가 들려오는 가운데, 내 옆 테이블 사람들은 다소 자극적인 이야기들을 이어가셨다. 동네 누구와 누가 불륜 관

계인 것 같아. 그래서 어떻게 되었대? 저쪽 집에 노인의 재산을 노린 누구는 또 말이야-

한적한 점내 안, 드문드문한 테이블 앞 손님들. 식사는 금방 나왔고 주변 분들 덕분에 사랑과 전쟁을 귀로 들으며 (또 어찌나 말솜씨가 좋으시던지) 포크를 움직이다 보니 혼자임을 느낄 겨를도 없이 식사가 끝났다. 만족스러운 걸음으로 식당을 나와 바로 근거리에 있었던 예약한 호텔에 짐을 넣어 놓고 향한 곳은 JR 아바시리 역.

아바시리 관광 시설 순환 버스 あばしり観光施設めぐりバス를 사용할 수 있는 1일권 표는 여러 장소에서 팔고 있었지만, 이 지역에 무슨 관광 포인트가 있는지 이야기도 들을 겸, JR 아바시리 역의 관광 안내소에서 구입하기로 했다.

굉장히 크지만 이용객이 적은 시청 같은 텅 빈 느낌의 아바시리 역의 첫인상은, 매우 넓지만 주차 된 차가 거의 없이 눈으로만 가득 찬 주차장과 건조한 찬 공기 탓인지 어딘가 삭막한 느낌이었다. 그러나 역 안으로 들어가자, 크고 텅 빈 외부와는 다르게 좁은 공간에 시설들이 오밀조밀 모여 있어서 단숨에 푸근한 시골 역이 되었다.

입구를 기준으로 왼쪽에는 대기실, 정면에는 JR 직원이 있는 티켓 교환 및 판매처와 탑승장 입구, 그리고 오른쪽에 자동 표

(따끈 따끈)

판매기와 함께 목표로 하던 관광 안내소가 있었다.

관광 안내소에는 할머님 한 분이 계셨는데, 관광객이 제일 많이 모이는 유빙 시즌이 끝나가는 무렵 (사실상 이미 끝난) 의 횅한 겨울 바다를 여행 오는 외국인 자체도 희한한데 여자 혼자 왔다고 하니, 이야, 너 정말 용감하고 멋지구나! 하며 감탄을 해 주셔서 쑥스러웠다. 칭찬은 항상 너무 기쁘지만 쑥스러워 어쩔 줄 모르겠어.

할머니는 한바탕 칭찬을 해주시고는 이왕 온 김에 빼먹지 말고 다 보고 가라며, 그렇게 하려면 각 장소에서 몇 시에 오는 버스를 타면 되는지 꼼꼼히 스케줄 표에 표시해 주셨다.

그리고 정말 중요한 팁을 주셨는데, 바로 아바시리 형무소와 구 아바시리 형무소 감옥 박물관이 영어로는 둘 다 Abashiri prison, Abashiri prison museum 이라고 적혀 있지만, 한 곳은 현재 사용되고 있는 아바시리의 형무소이고 구 아바시리 형무소 감옥 박물관은 다른 지역에 있는 건물이니 내릴 때 조심해야 한다는 것이었다.

이 사실을 듣기 전에는 보통 새 건물을 만들더라도 비슷한 용도라면 같은 부지에 짓는 경우가 많으니까, 형무소에서 내려 걸어 들어가면서 구경할까 하고 생각하고 있었기에, 덕분에 생판 모르는 사람의 면회를 갈 뻔한 실수를 막을 수 있었다.

할머니께 감사 인사를 하고 스케줄 표와 실제 사용할 날인,

* 형무소는 일본식 용어로, 한국에서는 교도소로 바뀌었다. 다만 서대문 형무소같이 역사적으로 이유가 있는 경우는 그대로 사용하고 있다. 이 글의 경우에도 그런 역사가 있는 것, 그리고 일본 소지의 교도소를 이야기하고 있으므로 형무소로 표기하도록 한다.

내일 날짜를 표시한 1day 버스표를 들고 역을 나와 부둣가를 향해 걷기 시작했다. 부둣가를 들러서 얼음 바다 멍을 때리다가 마트에서 장을 보고 돌아오는 것이 오늘의 계획이다.

 짐이 없어 가벼워진 몸으로 상쾌한 겨울 공기를 느끼며 신나게 출발한 것도 잠시, 호텔을 나와 한참 걸었는데도 20분 거리라고 말하는 지도와는 달리 가도 가도 길일 뿐, 항구는 나오질 않았다. 어쩐지 고작 20분 거리인데 버스 정류장이 두 개나 있더라니! 구글맵에게 속은 것인가!

더구나 쌓인 지 얼마 안 된 푹푹 빠지는 두꺼운 눈 장판, 그 아래로 오래 다져진 미끄러운 빙판과, 기가 막힌 타이밍으로 나타나는 녹아서 척척해진 눈구덩이들이 뒤섞여, 몇 걸음 내디디면 한 걸음씩 미끄러져 돌아오는 최악의 보도를 걷다 보니 눈물까지 찔끔 나왔다. 이제 겨우 여행 3일째인데, 마치 이미 일주일은 넘게 오지를 여행한 사람같이 종아리가 후들거리기 시작하고, 상쾌하던 겨울 공기는 어느새 귀를 떼어갈 듯 따갑게 느껴졌다. 이제라도 버스를 탈까! 아니야.. 지금 움직임을 멈추고 버스를 기다렸다간 얼어 죽을지도 몰라.

아아, 저는 맨날 집에서 작업만 하는 허약한 작가입니다,신이시여. 무릎도 부실하고 햇빛 보는 날도 현저히 적은 그런 사람이란 말입니다…어찌하여 저에게 이런 고난을.. 이라고 중얼거리며 한참을 더 걸어 종아리 근육이 아려올 때쯤 드디어

(꼭 고민하다가 버스정류장을 떠나면 버스가 스쳐 가더라.)

해안선이 시야 안으로 들어왔다. 일직선 직진 루트라 그나마 헤멜 일 없이 도착한, 출발 1시간 반 만에 마주한 바다였다.

여행 중이던 3월 중순에도 여전히 눈은 많이 내리고 추웠지만, 겨울에 비하면 온도가 많이 높아진 편이기에 유빙이 많이 없을 것 같아 다소 가격대가 있었던 유빙선은 포기했다. 어차피 미래의 내가 돈 벌면 또 올 거니까 이번에는 바다나 실컷 보고 가자.

(지나친 운동으로 언어 능력 다소 상실)

(그래서 컴퓨터만 켜면 하루종일 노는 가봐)

지역 주민도 관광객도 없는 고요한 항구, 하얀 눈과 파란 바다와 하늘만 이어지는 거대한 공간을 바라보고 있으니 한동안 풀리지 않았던 한 작업물에 대한 해결책들이 떠올라 그대로 서서 한참 그 작업에 대한 생각에 잠겨 있었다.

책상 앞에서 끙끙댈 때는 풀리지 않던 단단한 실타래가 조금씩 말랑말랑해져가는 걸 느끼며 기분 좋게 겨울바람을 맞고 있던 그때, 누군가 어깨를 두드렸고 돌아보자, 한 남자가 서 있었다. 워낙 집중하고 있던 데다 여기엔 나 외에 아무도 없다고 인지하고 있었던 탓에 순간적으로 나타난 사람을 보고 너무 놀라 아무 말도 못 하고 있는데, 씨익 웃으며 여기 지역 사람입니까? 라고 말을 건네 왔다.

남자가 항구와는 어울리지 않는 양복을 입고 커피 같은 음료를 들고 있었기에, 혹시 이 항구에 인기척이 없는 이유가 무언가의 이유로 출입 금지 중이라서이고, 이 사람은 나가라고 경고하러 온 시청이나 업체 관계자인가 싶어 아니요 라고 답했다. 곧 떠날 거예요 라고 이어 말하려는 순간, 남자가 다시 아, 그래? 어디서 왔어? 관광객인 건가? 하며 말을 이어갔다.

갑자기 말이 짧아진 것은 찝찝했지만 설문 조사 같은 건가 싶어 네 관광객입니다. 하고 답했더니 남자가 말없이 빙글빙글 웃으며 눈을 마주쳐 왔다. 잠깐의 침묵이 흐르는 동안 마주쳐 오는 시선에서 왠지 목줄기 아래부터 스멀스멀 꺼림직한 것이 기어오르는 기분이 들었다.. 이거 설마 헌팅인가? 하고 한걸음 뒤로 물러서자 남자가 혼자 왔어? 라고 말하며 한 걸음 다가왔다.

(으악 물러나라 사탄아!!!))

만약 내가 로맨스를 원하던 순간이었다면 로맨틱할 수도 있을지도 모른다. 그 남자는 멀쩡해 보였고 (다소 느끼했지만) 나도 평소에는 처음 보는 사람에게 먼저 다가가 친구가 되는 편이라 로맨스는 아니어도 잠깐의 수다 정도는 떨 수 있었겠지.

하지만 혼자만의 시간을 즐기며 막 창작에 대한 영감으로 마음이 가득 차 있던 순간을 팡하고 풍선 터뜨리듯 꺼지게 해버렸으니 어휴 그냥 어서 꺼져줬으면 하는 불쾌한 마음만 들뿐이었다.

아니요, 친구와 함께 왔어요. 그럼, 이만. 하고 자리를 뜨려고 하자 남자는 내 앞을 가로막으며 이렇게 말했다. 아까부터 봤는데 혼자던데.

(최소 30분은 서 있었는데? 보고있었다고?)

서둘러 뒤를 돌아보니 조금 떨어진 곳에 기프트 샵이 보였다. 친구랑 이따가 만나기로 했어요. 여기로 오기로 했거든요 하고 기프트 샵을 향해 걸어가니 따라 걸어오기에, 거리를 자르듯 냅다 90도 인사를 하고 그럼 이만. 이라고 말하고는 전화가 오는 것처럼 핸드폰을 들고 빠르게 이동했다.

이 이야기를 듣고 누구는 나에게, 너 너무 과민반응이고 자의식 과잉이야 라고 말했지만, 당장 의지할 사람이 없는 타국에

(이어폰을 끼고 있으면 대화하고 싶지 않다는 표시 아닌가..
나만 그렇게 생각하는 건가..?)

서 원하지 않는 접근을 받으면, 남녀노소, 외향과 상관없이 동일하게 불쾌해질 수 있고 무서울 수 있다고 생각한다. 그 사람에게는 여행지에서의 로맨스나 호의였을지라도 상대방은 동일한 감정을 느끼지 않을 수 있는 것이니까.

그렇게 한참을 그 남자가 차를 타고 사라질 때까지 좋지 못한 이유로 두근거리는 심장을 잡고 시간을 보내며 본의 아니게 오래 쉬었더니 아까까지는 그렇게 아프게 당기던 종아리가 말랑말랑해져, 다시 걸을 용기가 생겼다.

버스 타고 돌아가지 말고 10분 거리에 마트가 있던데 한번 가볼까? 눅눅한 기분은 걷기 시작하자 조금씩 나아지졌다. 마지막으로 남아있던 신발 안의 돌 같던 불쾌함도, 아바시리 강을 건너는 다리 초입의 다리 난간에 놓인 게의 집게발을 보고 사람? 갈매기? 아니면 까마귀일까? 누가 놓고 간 것일까? 상상하면서 걷다 보니 어느새 풀려버렸다. 그래. 기분 나쁜 기억은 여행 중에는 더욱 더 빨리 털어버리는 게 좋아. 좋은 것만 보기도 모자란 시간이니까.

마트에서 호텔로 돌아가는 길도 색다른 것 없는 주택가였지만 너무 예쁘게 보여, 걷다보니 아까의 불쾌한 기억은 다 사라지고 여행의 즐거움만 가득해져 버렸다.

어쩌지, 좀 더 산책할까? 장을 본 가방도 무겁고, 다리는 아프지만 좀 더 걷고 싶다!

양손을 힘차게 흔들며 계속해서 주택가를 걸으면서, 여행에 나서면 누군가에게는 평범한 일상이라도 여행자에게는 특별하게 보이는, 환각의 막이 눈에 씌워진다는 생각을 했다. 이 실존하지는 않지만 마음속으로 보면 보이는 막을 좀 더 확장하고 과대하게 보거나 비틀어 원고를 써보는 것도 재밌겠지.

언젠가 쓰게 될지도 모르는 환상과 환각의 눈으로 보는 여행기에 대한 아이디어를 생각해 낸 자신을 뿌듯해하며, 아까는 그렇게 걷기 힘들었던 길이었지만 지금은 한 걸음도 아까운 즐거운 길을 천천히, 끈덕지게 하나하나 만끽하며 산책했다.

정보 마당

빅토리아 스테이션 빅보이 아바시리 점 :

1977년에 설립된 빅보이 패밀리 레스토랑의 체인점. 원래는 다른 회사가 운영하고 있었지만 2000년에 통합했다고. 빅토리아 스테이션 자체가 도민의 사랑을 많이 받던 곳이라 그 이름은 그대로 유지하고 있다고 한다. 햄버거와 스테이크 중심의 메뉴를 팔고 있고 샐러드 바도 있다.

아바시리 유빙관광쇄빙선 오로라 :

겨울에는 바다 위의 두꺼운 유빙을 가르며 달리는 모습을 관람할 수 있는 쇄빙선으로, 다른 기간에는 일반 유람선으로 운행 중인 관광선. 한 시간 정도 소요되며, 당일 유빙의 상태나 유무는 웹사이트나 유빙선 승선장 휴게소 및 티켓 판매소에서 공지한다. https://www.ms-aurora.com/abashiri/

아바시리의 여행자 인포메이션 센터 :

유빙선 승선장 휴게소(유빙 가도 아바시리 미치노에키) 내부와 JR 아바시리 역 티켓 구매 자판기 옆, 이렇게 총 2 곳이 있다.

미치노에키 쪽은 오전에 열지만, 아바시리역 쪽은 지역민들로 운영되는 모양이라 12시부터 열고 있다. 자세한 스케줄은 아바시리 관광처 https://visit-abashiri.jp/ 참고.

아바시리의 관광버스:

도코버스どこバス와 아바시리 관광시설 순회 버스あばしり観光施設めぐりバス의 최신 정보 및 판매처 정보는 https://www.dokobus-abashiri.jp/ 을 참고하면 된다.

두 버스를 모두 사용할 수 있는 1day 패스는 일반 1,800엔(2023년 기준). 2019년 탑승했을 때는 메구리(순회) 버스표만 살 수 있었고 가격이 800엔이었는데 이 부분은 관광 안내소에서 확인하는 것이 가장 빠를 것 같다.

이 티켓은 공항버스와 토코로 선, 코시미즈선을 제외한 관광 포인트와 시내버스, 그리고 예약제 버스를 무제한 사용할 수 있다. 아바시리 프리패스라고 하는 2일 2,000엔, 3일 3,000엔짜리 표는 예약제 버스를 제외한 공항버스, 관광 순회 버스, 시내선, 토코로 선, 코시미즈 선을 모두 사용할 수 있으니, 스케줄에 따라 선택하여 구매하면 될 것 같다.

유빙 맥주 :

존재를 모르고 다녀와서 안타깝게도 못 마셔보고 온 맥주.. 아바시리 맥주사에서 만드는 유빙 드래프트 맥주는 오호츠크해의 유빙으로 만들었다는 맥주로, 천연 색소인 치자나무를 사용하여 새파랗고 상큼한 색을 띤다.

아바시리 시내 중앙 다리의 백조 석상 :

아바시리 시내를 가로지르는 3개의 다리 중, 중앙에 있어서 인지 중앙 다리中央橋라 불리는 다리였는데, 이 다리 중간에 커다란 백조 조각이 두 개 있다.

혼다 아카지라는 조각가의 1919~1989년 작품으로, 아침상朝翔은 아침해, 석상夕翔은 석양이 뜨는 방향을 향해 날갯짓하고 있다. 아주 오래전부터 아바시리 중앙 다리를 지키던 석상이라고 한다.

13화: 감옥 (1)

아바시리

여행 중에는 평소와 같은 24시간을 살아도
일기에 쓸 일이 너무 많은 것 같아

한 달은 여행한 것 같이 많은 일들을 겪었는데 아직 여행 4일째라는 것에 새삼 놀라며 시작하는 아바시리에서의 두 번째 날, 배를 긁으며 조식을 먹으러 내려갈 준비를 한다.

지금까지 혼자 여행할 때는 혼밥이 어색하니까 조식은 도시락으로 때웠지만 요 나흘 동안 나는 강해졌지!

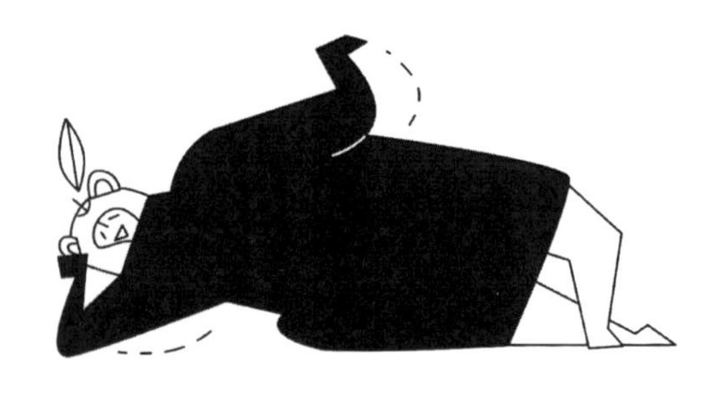

(혼밥쯤은 10번 노력하고 1시간쯤 명상을 하면
4번 정도는 할 수 있게 되었지! 에헴!)

1층 로비로 내려가자, 세탁실 옆 식당 에리어에 음식들이 차려져 있었다. 오픈 하자마자 내려왔는데도 다른 숙박객들이 많이 있어서, 어제 돌아다닐 때는 관광객은커녕 사람도 많이 없어 숙박객이 거의 없을 줄 알았던 나는 깜짝 놀랐다. 어디에 이렇게 많은 사람이 있었던 거지?

식당 줄에 서서 차례를 기다리다가 본의 아니게 앞 사람들의 대화를 듣게 되었는데, 선원 혹은 겨울 낚시를 하러 온 사람들이라는 것 같았다. 아바시리는 비수기라 텅 빈 것 같이 보여도 여행을 즐길 거리들이 여러 가지 있구나 생각하면서 된장국을 받고 반찬을 조금 덜어와 자리에 앉았다.

혼밥 초심자인 나에게는 예상했던 것보다 많은 사람들로 가득한 식당이 초반에는 좀 불편했지만, 조식이 너무 괜찮아서 맛에 집중하다 보니 그런 마음은 어느새 사라져 있었다.

(감옥 여행편은 전시물을 보며 느낀 것들을 효과적으로
전달하기 위해, 부분 부분 스케치 풍으로 그려보았습니다.)

반찬은 정말 특별한 것 없이 집 반찬 느낌이였는데, 양념에서 오는 맛이 아니라 식재료로부터 오는 진한 맛이 있어서, 달걀말이, 미트볼, 우엉과 연근조림, 양배추샐러드, 마카로니 사라다, 그리고 단무지 정도의 단출한 반찬만 가져와서 먹었는데도 매우 만족하며 식사를 마칠 수 있었다. 이래서 홋카이도의 농산물이 좋다고 하는 거구나.

오랜만에 다른 누가 차려준 집밥 같은 밥을 먹고 버스를 타고 외출하려니 학창 시절로 돌아가 등교하는 기분이라 즐겁다. 당시에는 아침에 학교 가는 게 너무 괴로웠는데 시간이 지나고 보면 즐거운 기억이라는 게 참 신기하단 말이야.

오늘은 아바시리의 관광지 3곳을 돌고 올 예정으로, 각각의 장소가 감옥, 산, 그리고 그 산의 더 높은 곳이라 감옥 식당 외에는 인근에 마땅한 식당이 없고, 막차 시간이 4시 경이라(2019년 기준) 버스 스케줄을 계산하면 중간에 다시 시내에서 밥을 먹고 오기도 힘들 것 같아서 백 팩에 견과류 초코바와 채소 주스, 그리고 물을 야무지게 챙겼다.

어제 미리 사둔 1일 버스권을 가지고, JR 아바시리 역에서 9시 23분에 오는 첫 차를 기다렸다. 버스는 정확히 시간대로 도착했고, 얼마 지나지 않아 첫 번째 목적지인 아바시리 감옥 박물관에 도착했다.

출발할 때는 쌀가루 같은 눈이 조금 흩날리는 정도였는데 감옥 앞에 도착하여 단 하나의 출입 방법인, 아바시리 강을 가로지르는 거울다리 앞에 서자, 본격적으로 비가 섞인 눈보라가 몰아치기 시작하는, 극적인 날씨가 시작된다. 음, 왠지 비장한 기분.

오늘 방문하는 아바시리 감옥 박물관(구 아바시리 형무소)은 지금은 박물관으로 쓰이고 있지만 실제로 1890년부터 1984년까지 죄수를 수감했고, 1991년 무렵까지 지방 재판소로 사용되었던 곳이며, 열악한 환경과 비인간적 대우, 영하 30도 이하의 혹한 등으로 인해 많은 수감자들이 사망하였기에 아직도 일본에서 형무소 하면 바로 이 아바시리 형무소가 언급될 만큼 악명 높은 곳이기도 하다.

이곳에 대해 알게 되었을 때 미리 이 곳에 조선인 수감자가 있었는지, 한국과 엮인 역사로는 어떤 것이 있는지 조사 했다. 수감되었던 조선인이 범죄자였다면 또 모르겠지만 억울하게 옥살이를 한 사람이었다면 그냥 하나의 관광지라는 가벼운 마음으로 관람할 장소가 아니라 예를 갖추고 와야 한다고 생각했기 때문이었다. 허나 안타깝게도 수감자에 대한 정보는 인터넷상으로 공개된 자료가 부족해서 알 수 없었다.

이 형무소의 상당수의 수감자가 죄를 지었다는 판단의

기준이 상황에 따라 다를 수 있는, 당시 메이지 유신 후의 정권에 반항하던 정치범과 내란범들이었다는 점 (실제로 배고픔에 감자 한 알을 훔치거나 산속에 마른 가지를 주웠다는 것만으로도 죄로 취급하여 감옥에 보내던 시기였다고 한다), 홋카이도 토착 민족인 아이누 민족들도 강제로 수감되어 있었다는 점, 그리고 인신매매와 강제노역으로 끌려온 조선인들이 동원되어 만들어진 홋카이도의 조몬터널과 아시베쓰 탄광 등이 지어진 시점도 이때이며, 결정적으로 형무소를 아바시리에 설립한 이유가 수감자의 교화 목적이 아닌, 미개척지였던 홋카이도 지역을 개척하기 위한 저렴한 노동력으로 쓰기 위해서였다는 점에서 조선인이 있었을 가능성이 있다고 미루어 짐작할 뿐이었다.

그렇게 이것저것 조사한 후에 내린 결론은, 이곳이 메이지 15년(1882년)에 일본에서 사형제가 폐지된 이후(지금은 사형제가 있음) 일반 시설에서는 수용하기 힘든 흉악범 중의 흉악범들이 보내지던 곳이기도 했던 만큼, 객관적으로 봐도 인간이라 할 수 없을 만큼의 큰 죄를 짓고 다른 사람들의 삶을 망친 나쁜 수감자들도 있었을 테니,

내가 비는 명복이 그런 사람들은 빼고 혹시 있었을지 모를 조선인들을 포함, 안타깝게 희생한 사람들에게만 닫길 바라며 관람하자 였다.

(너무 깊이 생각하는 것 같긴 하지만 장소가 장소인지라
꼭 생각하고 가야 할 문제 같았다.)

거울다리를 건너가자, 왼쪽에 티켓 오피스가 있었고 티켓과 함께 한국어 팸플릿을 받을 수 있었다. 팸플릿이 없어도 각 시설마다 한국어 설명이 어느정도 되어있어서 견학에 큰 문제는 없지만, 시설이 워낙 넓어서 길을 햇갈릴 때, 지도가 같이 들어있는 이 팜플렛이 큰 도움이 되었다.

거울 다리의 정면, 티켓 오피스의 오른쪽에는 현재는 사용하지 않는 방법으로 구워진 독특한 흑갈색의 벽돌로 만든 구 아바시리 형무소 입구이자 지금은 감옥 박물관의 출입구가 된 "붉은 벽돌문"이 그 앞을 지키고 있는 간수의 마네킹과 함께 서 있었다.

회색의 둥근 지붕이 있는 작은 방이 딸린 구조였는데, 한쪽은 간수 마네킹 2가 있는 접수처였고, 다른 한쪽은 누군가를 면회 온 듯한 할머니 마네킹과 남자 마네킹이 앉아있었다.

(묘하게 리얼해서 기분이 묘해..)

내가 첫차로 도착해서 당일 시설이 열린 직후 입장했던 것, 비수기인 것, 그리고 눈보라가 치는 날이였던 것 등의 이유에서 인지 2시간 정도 후에 단체 손님들이 오기 전에는 마치 전세를 낸 것처럼 나를 포함, 손님이 총 4~5명이었다. 그러다 보니 이 거대한 형무소 부지에는 사람보다 마네킹이 더 많았는데, 그 마네킹 수 자체가 또 상당히 많았던지라, 무섭다기보다는 기분이 묘했다. 관찰당하고 있는 것은 마네킹들인가 아니면 나인가.

(시선 집중은 별로지만 관심은 좋아하는 편이라 나쁘지 않아)

입구를 지나자마자 정면에 푸른색과 회색 외벽으로 지어진 청사가 보였다. 이 청사는 1912년부터 1987년까지 형무소 관리들이 사용하던 사무소였는데, 현재는 아바시리 감옥 박물관으로 사용되고 있었다. 서적이나 문서 같은 자료들이 전시되어 있었고, 작은 카페 공간도 있었다. 이제 형무소 관리는 하지 않지만, 예전에 방문객이 왔을 때 여기서 사무 업무를 담당했을 것을 생각하면, 이 건물은 꾸준히 방문객을 맞이하는 역할을 하고 있는 셈이다.

문 너머로
바로 보이는 청사.

청사 옆에는 가정집으로 보이는 곳이 있어 형무소에 왠 가정집? 하고 의아했는데, 바로 구 아바시리 형무소

직원들이 가족과 살던 숙사였다. 1983년까지 사용되었다는 숙사 안에는 아이 두 명과 부부로 보이는 남녀 마네킹이 있었고, 살림 도구와 주방까지 잘 재현되어 있는 것이, 부지가 어디인가만 잊는다면 그냥 그 시절 어디에나 있었을 법한 다세대 주택이었다.

(집안의 꽤 안 쪽까지 들어갈 수 있었다.)

아이들이 있어서인지 감옥이라기보다 마을이라는 느낌이 더 강하게 들었는데, 이 아이들의 모습과 일상생활을 하는 사람들의 모습이 당시 수감자들에게는 어떻게 다가왔을까 궁금해졌다. 여기는 일반 형무소와 다른 점이 많았으니 복합적인 사연과 상황의 수감자들이 많았을 테고, 그만큼 각자에게 다른 감정을 느끼게 했겠지?

(아이들의 모습이 무고한 수감자들에게는 행복과 안식과 위로와 희망이 되어주었었으면 좋겠다.)

직원 숙사를 보고 다음으로 부지 맨 아래쪽에 있는 구시로 지방재판소 아바시리 지부 법원 복원동으로 향했다.

건물 자체의 사용년도는 1952년부터이지만, 1900년에 지어졌던 구 아바시리구 재판소를 재현한 것이라 다소 오래된 형태의 외관을 하고 있었다. 그래서인지 입구 문이 생긴 것은 나무 미닫이문으로 되어있었는데 자동문이어서, 아무도 없는데 스르륵 열린 문 때문에 기절할 뻔했다..

(아이고 내 심장)

1952년에 지어져 법정 업무와 합의, 구류 및 취조를 하던 곳으로, 1991년까지 사용되었던 내부 물건들을 그대로 전시하고 있어서 흥미로웠다. 1900년의 모습의 건물에 1991년의 내부를 가진 곳을 2019년에 보고 있다니!

추가로 재미있었던 포인트는, 이 건물의 마네킹이 다른 전시관보다 표정이나 행동들이 매우 사실적으로 만들어졌고 복장이 현대와 큰 차이가 안 나는 데다 건물 내부 시설이나 구조가 아직도 일반적으로 많이 사용되는 것들이라 그런지, 전시관과 실제 사무실과의 모습의 경계가 희미했다는 것이다.

그러다 보니 건물 내부를 걸어 다니다가 보면 여기가 사용하지 않는 건물이라는 점을 잊게 되어, 현재 사용 중인 사무실 같은 곳인 줄 알고 들어가야 하나 망설이다가 힐끗 들여다보면 내부에 있는 게 마네킹인 경우가 왕왕 있어 재미있으면서도 날갯죽지가 오싹오싹했다.

(겨드랑이에서 냄새 난다는 표시 아닙니다.)

가슴 아래까지
치켜올려 입힌
바지에서 느껴
지는 90년대 초.

섬세한
고증.

(비교적 가벼운 형벌을 심사하던 단독 법정. 방 뒤쪽에 앉을 수 있는 소파가 있어서, 실제 재판을 보듯 관람할 수 있었다.)

(펀치파마를 한 옛날 양아치 소년. 드라마 등에서 많이 보던 모습이 재현되어 있어서 더 진짜 같았다.)

(철장 너머에 구류 되어있는 핑크색 머리의 아주머니. 옷은 스웨터인데 신발은 조리. 무슨 사연일까.)

복원동을 나와 향한 길의 초입에는 상당히 큰 창고가 하나 있었다. 형무소에 이렇게 큰 창고가 필요한 이유가 있나? 하고 지도를 보니 된장.간장고 라고 쓰여있다. 형무소에 갑자기 왠 된장과 간장?

내부에 들어가 보니 어둑한 창고에는 거대한 통들이 가득했고, 제조 기계들과 함께 다이어그램으로 그려진 설명이 있었다. 이 형무소에 대한 조사는 수감자들에 대한 것밖에 안 해온지라 뜬금없이 간장의 역사에 대한 표지판이나 간장 만드는 프로세스를 공부하게 된 상황이 재미있지만 얼떨떨했는데, 알고 보니 이 구 아바시리 형무소는 일본 유일 논을 보유하고 있는 농원 형무소로, 모두 자급자족을 했다고 한다. 그리고 1892년에 세웠다는

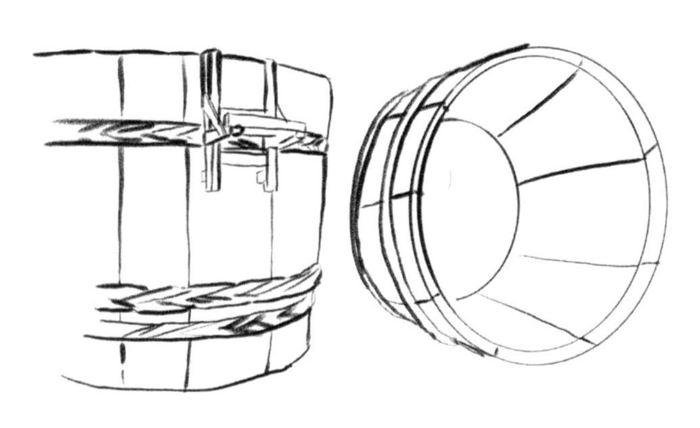

(상당히 크다.)

이 30평의 큰 창고가 그 모습을 보여주는 첫 번째 장소였던 것이다.

(절임고 건물에도 큰 통이 있었는데, 여기의 통들과 사이즈가 비슷했다. 다른 점이라면 절임고에는 주변에 누름돌로 사용된 것으로 보이는 돌이 쌓여있었다.)

간장 창고에서 바로 옆으로는 휴식 숙박소라고 표시된 집이 두 채 있었는데, 이곳이 바로 그 악명 높은 움직이는 감옥, 문어가 한번 들어가면 죽을 때까지 빠져나올 수 없게 만든 항아리 같다고 하여 그 이름이 붙여진 다코베야(문어방)이었다. 아바시리 수감자들이 주로 동원되었던 공사가 바로 홋카이도 중앙도로 개척 공사인데, 작업하다가 돌아올 수 없는 날은 이 임시 건물을 만들어 숙박을 했다고 한다.

이러한 형식의 임시 건물은 사실상 최악의 수용소였기 때문에 차후 인권 문제로 표면적으로는 사라졌지만, 다른 건설 현장에 강제 동원된 조선인들이나 인신매매로 잡혀 온 민간인들의 숙소로는 계속 사용되었고, 이곳에 감금되어 다코(문어)라고 불리우며 일을 하던 사람들은 노예처럼 부려지며 최악의 환경에서 지내다가 어떠한 보상도 없이 죽어갔다..

(외부에서 설치하고 철거하기 쉽게 통나무를 사용하고 벽은 판자를 세로로 박아 이러한 형태가 되었다.

전시 때문인지 후면을 뚫어놓았지만 실제로는 출입구는 정면의 문뿐이었고 감시가 항상 있었다.)

통나무와 얇은 판자로 엮은 지붕.
추위를 막는 기능은 사실상 없었을 것 같고
바람과 탈출만 막았을 것 같다.

화장실

침구는 얇은 겹이불
하나 뿐. 신발도 짚신.

긴 통나무를 베고 잤는데, 이
것을 두드려 소리 진동으로
잠을 깨웠다고 한다.

길을 따라 조금 올라가면 이전의 된장.간장 창고와 비슷한 모습의 두 개의 큰 창고가 있었다. 내부에는 여러 농사 기구와 자동으로 움직이는 여러 마네킹이 있었는데, 설명을 보니 농기구고와 절임고라고 쓰여있었다.

절임고에도 엄청나게 큰 통들이 있었다. 직접 수확한 채소들을 절여 먹었는데, 일 인당 한 끼에 단무지 3조각씩 배급되었다.

이 두 창고의 모습은 조금 평온한 편이었고 (간수 감시 빼고는), 때마침 절임고 안에 작은 새들이 종종 뛰어다니면서

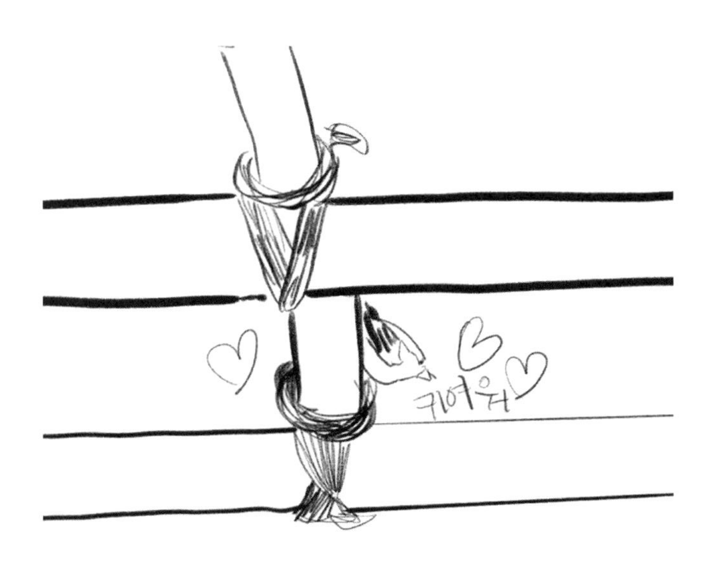

놀고 있어 한참 보고 있다 보니 다코베야에서 가라앉았던 마음에 조금 평화가 찾아왔다.

그렇게 조금 쉬다가 절임고를 지나 다음 장소로 이동했다. 바로 옆에 있는 그곳은 조금 뜬금없다 싶을 정도로 다른 건물들과 다른 외양이었는데, 역시나 형무소가 닫은 이후 박물관으로 단장하면서 2010년에 지어진 신식 건물인 감옥 역사관이었다. 그런데 이 역사관의 홀 중앙에 있는 거대한 3면 스크린의 체험 극장 전시장이 정말 충격적이었다.

“빨간 옷을 입은 죄인들의 숲” 체험 극장이었는데, 영하

30도 이하로 내려가는 아바시리의 혹한, 열악한 노동환경, 그리고 야생 동물의 습격 등으로 길 위에서 수감자들이 죽을 때마다 그대로 도로 옆에 묻으며 개척한, 죄수 도로라고 불리는 홋카이도 중앙도로 공사 현장을 담아낸 전시였다.

영상의 내용이나 주제의 강렬함도 있지만 그것을 효과적으로 전달하여 극대화함과 동시에, 전시장의 배치와 사용된 소재에서 오는 예술 작품 같은 느낌도 있어서, 작가로서 큰 공부가 되었다.

그러나, 사방에서 휘몰아치는 소리들, 천둥과 함께 바닥으로 쏟아지는 거센 빗속에 있는 것 같이 느끼게 해주는 조명 연출, 계속 이동하며 상영되는 영상에 VR로 보는 것처럼 몰입감이 엄청나서, 주제가 주제였던 만큼 7분이라는 상영을 다 보고 난 후에는 감정적으로도 시각적으로도 기진맥진해 버려서 한동안 쉬어야 했다.

(아주 대략적인 배치 스케치)

(아주 자세한 글 설명 :
이 건물의 중앙은 천장이 2층까지 뚫려 있고, 중앙 1층에 있는 이 전시장 둘러싸고 1층과 2층에 모두 난간이 배치되어 있어, 마치 원형극장을 연상케 한다.

전시장 둘레와 유리 바닥 아래는 마른 가지의 나무들이 배치되어 있고, 뒤가 아스라히 비치는 얇은 스크린 천 뒤로는 사람 형태의 조형물들도 있다.

영상이 시작되면 조명, 음향, 영상이 3면의 스크린천과 유리바닥 위를 극의 내용에 따라 이동하면서 울려퍼지고, 얇은 스크린천은 뒤에 배치된 나무들과 어우러져 안개처럼 보이게 해주어 실제 숲에 와있는 느낌을 주었다.)

정보 마당

감옥 역사관의 체험 존 :

1) 중앙도로 공사 당시 허리를 쇠사슬에 묶인 채 2인 1조로 일하던 수감자들의 모습을 재현한 마네킹이 배치 되어 있는 코너에 가면 쇠사슬과 쇠공을 직접 들어 볼 수 있는 코너가 있다.

2) 현재의 아바시리 형무소(다른 부지) 다인실과 독실 등을 직접 들어가 보고 체험해 볼 수 있는 장소가 마련되어 있다. 이 장소에 모형으로 재현되어 있기도 한 감옥 식사는 11:00 ~14:30 (라스트 오더 14:00) 사이에 부지 밖의 매패소 부근에 있는 감옥 식당에서 먹어 볼 수 있는데, 구 형무소의 실제 식사였던 맨밥에 단무지 3개는 아니고 현대 기준으로 생선과 반찬, 된장국과 밥 등 충분히 점심식사가 될 양이 나온다고 한다.

3) 1층에 감옥 입소 사진을 찍을 수 있는 스티커 사진기가 있었다.

14화: 감옥 (2)

아바시리

여행 중에는 감정의 높낮이가 낮아져서 금방 슬퍼지고 빠르게
다시 기뻐지고 곧잘 실망하다가 쉽게 감동하는 것 같아.

역사 속 잔혹한 부분을 강하게 체험했더니 멀미가 나서, 다음 시설을 보러 가기 전에 밖을 산책하며 찬 공기를 마시는데, 쇠사슬에 묶여 돌을 들고 있는 수감자 동상에 누군가 꼬마 눈사람들을 만들어 올려둔 것이 보였다.

손가락만 한 눈사람들로 인해 고통 외에 여러 의미로 해석이 될 수 있게 된 동상은, 어찌 보면 몸을 숙여 꼬마 눈사람들을 지켜주는 것 같고, 어찌 보면 조금 더 가까이서 보려고 돌을 조심스레 들어 올리는 것처럼 보여 멍하니 보고 있자니 마음이 좀 따뜻해졌다.

조금 가벼워진 걸음으로 향한 다음 장소는 1896년부터 1930년까지 계속 증축되어 현재 모습으로 완성되었다는 후타미가오카 형무지소. 굉장히 큰 건물이라 들어갈 때는 외관의 한 부분밖에 안 보여서, 여기가 바로 구 아바시리 형무소의 대표적인 이미지로 자주 나오던 방사형 옥사인가 하고 들어갔는데, 내부가 감옥 같지 않고 온통 하얗고 깔끔해서 당황했다.

설명을 읽어보니 후타미가오카 형무지소에도 옥사는 있지만, 이 시설의 주목적은 아바시리 서쪽 구릉지에 있는 농장의 수확과 작물 관리부터 식사까지의 업무에 있었기에 비교적 형이 가벼운 사람들을 수용한 곳이었다고 한다. 그래서 건물 내부도 감옥보다는 옛날 학교나 병원 같은

(나는 밑에서 돌을 같이 들어 줄게요.)

분위기를 띠는 걸까? 감옥 목적보다 생활 위주인 공간이다 보니 그 큰 건물에 사람이 나 포함 딱 셋 밖에 없었어도 아주 무섭지는 않았다.

(조금만 무서웠다.)

이 건물 안에는 청사, 옥사, 교육용 강당 겸 식당, 취사장, 그리고 농사일 올 때 쇠고랑을 벗고 차던 쇠고랑 부착소 등 많은 시설이 있어서 다른 건물들보다 관람 시간이 오래 걸렸다.

(홋카이도 기념품으로 곰과 연어 조각상을
많이 팔던데 이유가 뭘까?)

입구에 들어서면 긴 복도가 나 있었는데, 독특하게 실내인데도 바닥이 붉은빛의 벽돌길이었다. 이 벽돌들도 부지 입구의 정문처럼 감옥에서 구운 것일까? 1896년에 지어진 일본의 현존하는 가장 오래된 목조 형무소의 벽돌 바닥은 하나같이 모서리가 둥글게 마모되어 있고 여기저기 틈이 많아, 시간을 그대로 머금고 있는 것이 느껴졌다.

(건물 입구 쪽 벽돌은 다른 곳과 달리 화살촉 처럼 어긋나게 맞추어 놓은 오늬무늬(헤링본) 로 되어있었는데, 출입구여서인지 다른 방들의 벽돌보다 많이 닳고 광이 조금 났다.)

(전체적으로 문 인방이 낮았다.)

(손 모델 : 소세지 같은 매력이 있는 내 왼 손)

긴 중앙 복도의 끝이자 정면에는 양옆의 옥사를 돌아보며 감시하는 간수 마네킹이 서 있는데, 얼굴이 돌아갈 때마다 꽤 크게 태엽 소리가 났다.

해당 시각 건물에 있었던 유일한 생명체 셋 중 두 명은 가이드님과 관광객으로, 각 방마다 이야기를 나누며 이동하느라 나와는 이동 속도가 달라 같은 공간에 있는 일이 잘 없었다. 그러다 보니 관람하다 보면 계속해서 간수 마네킹과 단둘이 복도에 서 있는 격이 되어, 안 좋은 쪽으로 기분이 묘해지기 시작했다.

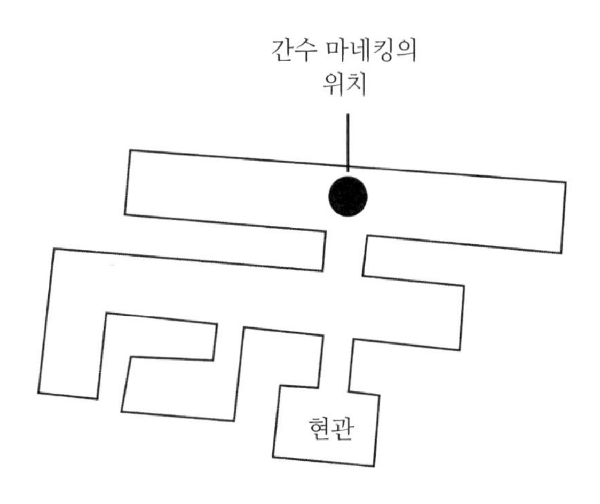

(이렇게 된 구조라, 각 복도를 보고 나올 때마다 마주친다)

뒷머리나 심장 위쪽을 손톱으로 느리게 갉작대는 듯한, 무섭다기보다는 불쾌하게 기분이 좋지 않은 이유가 대체 무얼까 하고 생각하다가, 지금 내가 리미널 스페이스에 있기 때문이라는 것을 깨달았다.

리미널 스페이스라는 것은 원래 건축 분야의 전이공간, 역공간이라는 학술적 개념인데 인터넷상에서 그것이 밈(meme)화 되어, 친숙한 공간인데 본래 있어야 할 것이 없어 위화감과 두려움을 느끼게 하는 공간의 정의로 쓰이고 있다. 예시로 들자면 운영 중인데 사람이 없는 놀이동산이나 백화점 같은 공간을 말한다.

(입구에서 본 복도의 구도와 간수의 위치.)

즉, 이건 완벽한 자료 수집의 기회! 완벽히 리미널 스페이스의 개념은 아니지만 결이 비슷한 주제로 작품을 만들려고 몇 년 전부터 사진을 찍어두고 있었던 지라, 자료 수집에 대한 욕망이 불편한 마음을 이겨 간수 마네킹 오히려 고마워! 하며 촬영을 시작했다.

그렇게 얼마나 자료 수집에 대한 열정으로 촬영을 계속하며 관람을 계속했을까. 간간이 들려오던 다른 사람의 말소리와 인기척이, "멀지만 들린다"에서 "전혀 안 들린다"가 되고, 오래된 목조 바닥에 울리는 발소리가 내 것뿐일 때가 잦아지기 시작한다. 그리고 거기에 더해서 마네킹들. 이 건물에는 특히 마네킹이 많았는데, 현재 이 건물에 사람 수보다 마네킹이 터무니없이 많다는 생각에 미치자, 자료 수집이고 뭐고 본격적으로 무서워지기 시작했다.

(조금보다 조금 더 무서워졌다.)

이곳을 나가는 수밖에 답이 없지만 자료 수집! 포기 못해! 그래서 잠시 고민하다가 묘안을 생각해 냈다.

그래, 마네킹에게 말을 건네보자.

미친 사람 같다고요?

그러니까 그렇게
하면
걔(마네킹)들도
제가 미친 사람
같다고 생각하고

안 덤비지
않겠어요?

이런 심각한 역사적인 공간에서 유쾌함을 되찾기 위한 목적인 이런 행동을 하는 것은 예의가 아니지만 당장의 심신의 안정을 위해 미쳐보기로 했다. (이 점을 감안해서 여기를 나갈 때까지만 다소 가벼운 분위기로 진행된 관람 기록을 봐주세요)

(깨알 정보 : 이 건물의 실제 수감수들이 사용했던 식당에
서도 마네킹들과 함께 감옥 식사를 체험해볼 수
있는데, 메뉴는 감옥 식당(레스토랑)과 같고
계절 한정으로 운영 한다고 한다.)

그렇게 형무지소를 혼탁한 정신으로 중얼거리며 겨우 관람하고 드디어 이 부지에서 제일 유명한 구 아바시리 감옥 옥사 및 중앙 감시소에 갔을 때는, 10명 정도의 단체관광객이 생겨 겁나던 분위기도 깨지자, 한없이 풀어진 기분이 들기도 했지만 무엇보다 진이 빠져 아무것도 보고 싶지 않아졌다.

(인간..인간이다아…너무 귀여워…너무.. 소중해..)

그래서 그냥 건물 내부 의자에 앉아 쉬면서 사람 구경을 하다가, 대충 자료를 남기는 느낌으로 영상을 찍고, 그 후 욕탕 건물로 (형무지소의 것보다 큰 공중목욕탕 같은 느낌이었다) 에 넘어갔을 때 다시 혼자가 되어 무서워져서, 간수 마네킹과 숨바꼭질 하는 기행 정도만 저지른 후 미련 없이 버스 정류장으로 향했다.

부지에서 나가기 위해 형무소 유일한 출입구인 거울다리를 건널 때 즈음엔, 거짓말처럼 들어왔을 때처럼 눈보라가 쳤다.

눈을 찌르듯 사선으로 날아드는 눈송이를 피해 고개를 숙이고 버스 정류장까지 걸으며, 마치 눈보라 너머 다른 세상에 들어갔다가 온 꿈을 꾸다 깬 것 같다는 생각했다.

정보 마당

구 아바시리 감옥 옥사 및 중앙 감시소 :

5개의 복도를 모두 감시할 수 있도록, 중앙 감시소를 중심으로 5개의 긴 복도가 손바닥 같은 모양으로 이어지는 방사형 옥사. 3,333.72㎡ 로 최대 700명까지 수용할 수 있는 거대한 규모이다.

미적인 부분만 본다면 색의 조화나 구조, 배합된 재료의 조합이 아름다운 건물이지만, 그 디자인의 이유나 목적, 그리고 사용된 용도를 본다면 결코 좋게 볼 수는 없는 모순적인 곳.

이곳도 역시 내부에 당시 모습을 재현한 마네킹들이 전시되어 있다.

15화: 얼어라 수건이여

아바시리

순환 관광버스를 타면 나도 모르는 사이에 패키지 여행 중.

감정의 롤러코스터 같은 관람을 마치고 다음 목적지로 가려고 버스 정류장에 섰는데, 눈보라가 너무 쳐서 눈을 뜨고 있기도 힘들어졌다. 관람의 여운을 느끼기는커녕 조난할 것 같아, 버스 정류장 앞에 있는 작은 휴게소로 들어가 쉬면서, 점심으로 챙겼던 견과류 초코바와 채소 주스를 마셨다.

(건강하다가 말다가 할 것 같은 맛)

잠시 후 도착한 순환 버스를 타고 다음 정거장인 오호츠크 유빙관을 향했는데, 이 버스, 왜 계속 산으로 올라가지?

분명 어제 확인한 구글맵에서 오호츠크 유빙관은 녹색으로 표시되는 산이 아니라, 회색으로 표시된 평지였던 것 같은데 내가 버스를 잘못 탔나?

불안해질 때쯤 언덕 위에서 건물이 갑자기 솟아났고, 버스 안 사람들이 우르르 내렸다. 아침부터 같은 버스를 타고 왔던 사람도 내리기에 반신반의하면서 따라 내렸는데, 갑자기 이 사람이 뛰기 시작했고 그러자 다른 사람들도 냅다 뛰기 시작해서 느닷없이 눈보라 속에 달리기 시합이 펼쳐졌다.

(그렇다면 고마워요!)

갑작스러운 눈보라 속의 달리기로 인해 사자처럼 부푼 머리를 하고 유빙관에 도착해 잠깐 숨을 돌리며 (정류장에서 본관까지 거리가 좀 있었다.) 버스 스케줄을 보고 나서야 그 달리기의 이유를 알게 됐다.

유빙관에 도착한 시간은 12:35분,

다음 버스 도착 시간은 13:05분,

만약 그걸 놓치면 2시간 후인 14:35분에나 버스가 있었다. 그렇게 되면, 다음 정류장인 북방민족관의 폐관 시간이자 막차 시간인 16 : 37분까지 아바시리역에 갈 수 있는 버스가 막차를 포함 딱 두 개밖에 없게 되는 것이었다.

(목도리에 긴 머리를 넣고 바람맞으면 생기는 일.)

그래서 관광안내소 할머니께서 11시에 감옥에서 빠져나가는 게 좋다고 하셨구나. 어제 설명을 들을 때 일찍 출발하라고 한 말만 기억하고 스케줄 표를 제대로 안 봐서, 중간에 이런 시간 차이가 있는 걸 몰랐다. 이제라도 알았으니 안전한 일정을 위해 30분 안에 관람을 마치도록 할까.

서둘러 입장권을 사서 유빙 아래의 바닷속으로 내려가는 느낌을 표현한 듯, 파란 조명으로 가득 찬 계단을 내려갔다. 불행인지 다행인지 전시장은 생각보다 작아서, 목적 중의 하나였던 클리오네를 바로 찾을 수 있었다.

일본에서는 유빙이 나타나는 시기에 같이 나타나 유빙이 녹아 사라지면 함께 사라진다 하여 유빙의 천사라고 불리는 클리오네는, 어른이 되면서 껍질이 사라져 투명한 몸만 남는 고둥(무각거북고둥)의 일종이다.

이곳 유빙관 전시장에서는 쟁반~ 노래방!의 쟁반 크기 정도의 창을 통해 관찰할 수 있었는데, 수면 뒤로 새파란 배경을 깔아 두어, 유백색의 반투명한 몸체와 핑크색 내장이 잘 보였다.

클리오네의 크기는 1~3cm 정도로 작았고, 날개 같이 생긴 다리로 날갯짓하듯 투명한 물속을 날아다니고 있어서 조개라기보다는 아주아주 작고 배가 뽈똑한 종달새 같기도 해서 더 신기했다. 관상용으로 인기가 높다더니, 정말 하루 종일 봐도 질리지 않을 것 같이 귀엽고 경쾌하구나, 클리오네야!

(클리오네는 육식이라고 한다.)

전시장 내에 클리오네 외의 다른 심해 생물들을 짧게 훑어보고 두 번째 목적지로 향했다. 유빙선을 못 탄 한을 풀

그 장소는 바로 유빙 체험 테라스!

다행히 사람이 없어 줄 설 필요가 없었기에, 배치되어 있는 대학 졸업가운처럼 생긴 추위 방지 로브를 신속하게 꿰차 입고 영하 15도라고 표시된 보안문으로 갈 수 있었다. 관광 안내서에서 보고 너무 기대 되었던 수건 실험을 드디어 해볼 수 있겠군!

보안문 앞에 배치된 젖은 수건을 들고 터치로만 열리는 자동 철문을 지나자, 발밑에 새파란 전등만 켜있는 짧은 복도와 또 하나의 철문이 나타났다. 이 모든 연출이 SF 영화를 생각나게 하는 부분이 있어서 굉장히 신이 났다. 그와 동시에 아무도 없어! 그러면 나는 누구보다 신나게 개방정을 떨 수 있지!

체험 테라스 내부는 생각보다 작았지만, 유빙이 떠다니는 바다 배경에 실제 유빙과 유빙 위에 사는 동물 모형을 배치하여, 넓은 마음으로 본다면 넓은 바다에 있는 듯한 착각을 할 수 있는 착시 효과를 주고 있었다. 음향 시설도 설치해 두어 끼룩께룩하고 우는 생물의 소리도 계속 들려와 좀 더 상상력에 힘을 실어주기도 했고.

자, 그럼, 바로 돌려볼까? 안내서에 따르면 젖은 수건을 공중에서 휙휙 돌렸을 때, 수건이 딱딱하게 얼어버린다고 했다.

(퐉 유!)

그런데 아무리 수건을 흔들어도 수건이 얼지 않는 것이었다. 앞으로도 돌려보고, 옆으로도 돌려보고, 발레하듯 돌면서 찬 공기를 잔뜩 얹어도 보고, 헤드뱅잉을 하며 풍차 돌리 듯 돌려봐도 수건은 얼지 않았다.

결국 남은 관람 시간을 모두 바쳐 버렸지만 여전히

흐늘흐늘한 수건을 들고 체험실을 나올 수 밖에 없었다. 하도 돌렸더니 오히려 좀 뽀송해진 수건을 반납하는데, 어느새 관광객들이 늘어서 삼삼오오 추위 방지 로브를 입고 입장 줄에 서 있었다.

근데 잠깐만,

저기 왜 모니터가 있어?

아까는 급히 들어가느라 몰랐는데 지금 보니 로브 대여소이자 체험관 입구에 체험관 내부를 비추는 CCTV 모니터가 있었다. 그랬다. 나는 또 의도치 않게 낯선

(니가 왜 거기서 나와)

사람들에게 내 춤사위를 선보인 것이었다.. 그것도 이제까지 중 제일 화려한 걸로..

가자,

수건 실험이고 뭐고 어서 이 자리를 벗어나야 해.

새빨개진 귀를 목도리로 덮고 신속히 유빙관을 나와 버스 정류장을 향해 뛰는데, 때마침 버스도 들어오고 있었다.

완벽한 타이밍이구만!

버스를 타고 다음으로 이동한 홋카이도 북방민족 박물관은 시간표만 봤을 때는 버스로 몇 분 걸리지 않으니 걸어 가도 되지 않나 생각했는데, 실제로 보니 중간 지점까지는 걸어갈 수 있는 인도 자체가 없는 길이었으며, 지도상의 내비게이션으로는 걸어갈 수 있는 평지라고 뜨는 것과 달리 오르막길이었다(산이니까..). 이 버스를 놓쳤다면 아무 의심 없이 걸어 가려고 했을텐데, 제시간에 타서 정말 다행이야.

도착한 홋카이도 북방민족 박물관은 부지도, 건물도, 상당히 컸다. 넓은 부지는 눈에 덮여 있었고 높은 계단 위에 우뚝 솟아있는 삼각형의 탑이 있는 건물은, 어딘가의 신전 같이 보이기도 했다.

(왠지 게임에서 본 것 같아. 게시가 내려올 듯 한 기분 .)

웹사이트 소개 글을 보니, 3292 제곱미터라고 하니 앞서 보고 온 아바시리 감옥 중앙옥사만큼 큰 셈이다. 주변에 숲이나 다른 건물들까지 합치면 아마 더 크겠지.

내부는 사진 촬영이 금지였고 관람 중에는 딱히 바보짓을 한 게 없으니 순수한 감상만 적어 보자면, 학술적으로도 관광용으로도 볼만한 가치가 있는 전시였고, 작가로서도 영감을 받을 수 있는 흥미로운 부분이 많았다.

무엇보다 전시장 자체의 느낌이 어딘가, 두터운 투명 보온 비닐로 바람을 차단한, 눈 덮인 겨울 산 중턱의 백숙집의 야외 석 같은 분위기가 있어서 따뜻하면서도 개방감 있는 분위기가 좋았다. 아마 다시 아바시리를 방문한다면 기꺼이 또 둘러보러 오지 않을까. 상설 전시 자체도 여러번 봐도 재미있는 부류이기도 하고 말이다.

그러나 이곳의 유일한 문제점이자 큰 문제점이 있으니(2019년 기준), 바로 상설 전시관, 로비의 작은 숍과 테이블 위의 몇 가지 어린이용 놀거리 말고는 할 수 있는 것이 별로 없는데 버스가 올때까지 매우 심심하게 기다려야 한다는 것이었다.

이걸 나만 그렇게 느끼는 것이 아닌지, 같이 도착한 다른 관광객들도 해파리처럼 목적 없이 로비 이곳 저곳을 부유하고 있었다.

그렇게 한동안 함께 부유하다가 문득 생각했다. 태풍이 올때도 빗속에 나가 놀면 재미있는데 눈보라가 칠때도 나가 놀면 재미 있지 않을까? 오비히로에서도, 아칸에서도, 눈놀이를 했으니 아바시리에서도 눈놀이를 해야지! 그리고 생각해보니 여기는 그저께 그렇게 뛰놀고 싶어했던 설산이잖아!?

늘어져 있다가 갑자기 신이 나서 눈보라 속으로 뛰쳐나가는 나를 의아한 눈으로 바라보는 관광객들을 뒤로 한 채 정문을 나섰다. 춥고 따가운 눈보라도 놀잇감으로

생각하면 다르게 보이는 법!

박물관 주변을 돌며 조막만 한 고양이 눈사람을 만들어 전시하며 신나게 산책을 했다. 눈보라 속에서 이쪽 눈 밭에 누웠다 저쪽 눈밭에 누웠다 했더니, 어느새 눕는 게 아니라 눈의 파도 속을 헤엄치는 기분도 들었다.

숲이 주는 고요한 맛도 있어서 생각에 잠겨 걷기에 딱 좋았기에, 헤엄치다가 사색하다가를 반복하다 보니 금세 버스 시간이 다 되었다. 아쉽지만 이제 돌아가야 겠지.

(눈보라 속에 뛰쳐나가더니 쌀과자가 되어 돌아옴)

박물관 로비로 돌아가 맡겨둔 짐을 찾아 곧이어 도착한 버스를 타고, 거대한 눈바람 너머로 보이는 눈 속에서 시간이 멈춘 고대 사원 같은 박물관을 뒤로한 채 아바시리 역으로 돌아왔다.

호텔로 돌아가기 전에, 저녁밥으로 열심히 관광하고 온 나에게 상으로 규동을 사주려고, 역 앞에 있는 규동 체인점인 스키야에서 포장을 해왔다. 이젠 혼자 매장에 앉아 기다리며 테이크아웃도 잘하는 내 자신을 두 배로 기특해하며 마무리하는 아바시리의 마지막 밤, 식사를 하며 볼거리로 텔레비전을 켜는 대신 커튼을 걷었다.

휘황찬란한 도시의 불빛 없어 까만 어둠 속에 홀로 동동 떠 있는 아바시리 역사의 아스라한 불빛과, 그 앞을 비추는 노란 가로등의 풍경만 봐도 너무 재미있는 식사 시간이 되었으니까. 나는 미술관에 가면 의자에 앉아 작품을 오래 바라보고 있는 것을 좋아하는데, 이때 방문한 아바시리가 딱 그랬다. 고요했고, 아름다웠으며, 시간의 흐름이 느려 풍족한 사색을 할 수 있었다.

정보 마당

북방민족 박물관 :

북방민족에 대해 관광적인 측면만 알고 있었던 나에게는 큰 공부가 된 전시였다. 오디오 가이드(한국어도 있음)도 있어서, 유익한 내용을 빠짐 없이 배울 수 있었다.

박물관 자체에 대해 이야기 해보자면, 이곳은 강연, 강좌, 발굴 등 각종 관련 조사 등의 연구 시설이기도 해서인지 관광 위주라기보다 학술적인 분위기가 많이 있는데, 북방민족에 대한 관심도를 높이고자 관광 부분을 좀 더 보강하려고 여러모로 노력을 있는 모양이었다. 아늑하고 무해한 너드 같은 전시장 분위기 그대로인 웹사이트에 들어가면 그런 모습을 잘 볼 수 있는데, 해마다 시행되는 운영 평가 위원들의 의견 모음에 적혀 있는 내용들이나 관장님의 유튜브 도슨트 같은 것들이 재밌고 왠지 귀여우시다.

매운 건 잘 못 먹지만 매운 걸 먹고 싶어 :

같은 동양권이라도 일본을 오래 여행하다 보면 도시락 종류가 아무리 다양하다 해도 질릴 때가 있다. 이럴 때는 김치나 고추장이 최고이지만 여행 중이니 좀 더 현지 기분을 더 느끼고 싶기 때문에 라유를 산다.

라유는 단순히 말하자면 고추기름인데, 일본에서는 견과류나 마늘칩등 다양한 재료를 넣어 병에 담아 판매하고 있고, 후리카케 코너에 가면 김 조림과 함께 흔히 발견할 수 있는 대중적인 조미료 겸 밥 반찬이다, 너무 많이 얹으면 역시 기름이기 때문에 느끼하고 짜지만, 적절히 내용물을 덜어 밥에 얹어 먹으면 매콤해서 입맛을 돋운다.

특히 추천하는 건 마늘 칩이 들어간 버전으로, 바삭바삭한 마늘 칩이 매코오홈한 고추기름과 어우러져 맛있다. 다른 재밌는 버전도 많으니, 아무것도 준비해 가지 않았는데 매운 게 당긴다 할 때 추천.

주의! 그리고 팁 :
뚜껑을 잘 닫아도 가방 안에서 구르다보면 기름이 흘러 나오기 쉬운데, 일회용 비닐 봉투나 여행 중에 편의점 등에서 받은 비닐로 그림과 같이 꽁! 묶으면 뚜껑이 움직여 새는 것을 어느 정도 방지 할 수 있다.

여행성 인간

발행일 | 2023년 10월 5일
지은이 | 김은율 (김은영)

연락처 | lucykeycom@gmail.com

홈페이지 | lucykey.com